古龙经典

七种武器 2

碧玉刀 · 多情环

文匯出版社

目　录

碧玉刀

多情环

碧玉刀

第一章

江湖少年春衫薄

01

春天。江南。

段玉正少年。

马是名种的玉面青花骢，配着鲜明的、崭新的全副鞍辔。

马鞍旁悬着柄白银吞口、黑鲨皮鞘、镶着七颗翡翠的刀，刀鞘轻敲着黄铜马镫，发出一串叮咚声响，就像是音乐。

衣衫也是色彩鲜明的，很轻，很薄，剪裁得很合身，再配上特地从关外来的小牛皮软马靴，温州“皮硝李”精制的乌梢马鞭，把手上还镶着比龙眼还大两分的明珠。

现在正是暮春三月，江南草长，群莺乱飞的时候，一阵带着桃花芳香的春风，正吹过大地，温柔得就仿佛情人的呼吸。

绿水在春风中荡起了一圈圈涟漪，一双燕子刚刚从桃花林中飞出来，落在小桥的朱红栏杆上，呢喃私语，也不知在说些什么。

段玉放松了缰绳，让座下的马，慢慢地踱过小桥，暖风迎面吹过来，吹起了他的薄绸紫衫。

就在这件紫绸衫左边的衣袋里，放着叠得整整齐齐的一叠崭新的银票，足够任何一个像他这样的年轻人，舒舒服服地花上三个月。

他今年才十九，刚从千里冰封的北国，来到风光明媚的江南。

栏杆上的燕子被马蹄惊起，又呢喃着飞入桃花深处。

段玉深深地吸了口气，只觉得自己轻松得就像这燕子一样，轻松得简直就像是要飞起来。

但是他也并非完全没有心事。

家教一向最严的中原大豪段飞熊夫妇，当然不会无缘无故就放他们的独生子到江南来。

段玉此行当然也有任务的。

他的任务是在四月十五之前，赶到“宝珠山庄”去向他父亲少年时的八拜之交，“江南大侠”朱宽朱二太爷去拜寿。将段家祖传的宝物“碧玉刀”带去做寿礼，然后再把朱家的宝珠带回去。

“宝珠山庄”最珍贵的一粒宝珠，就是朱二太爷的掌上明珠。

她今年才十七。

她叫朱珠。

据说朱二太爷今年破例做寿，就是为了替他的独生女选女婿。

姑苏朱家是江南声名最显赫的武林世家，朱大小姐不但是有名的美人，还是有名的才女。

听到了这消息，江湖中还未成亲的公子侠少们，只怕有一大半都会在四月十五之前赶到宝珠山庄。

段玉是不是能雀屏中选，把这粒宝珠带回去，他实在没有把握。

这就是段玉的心事。

还有，段家的碧玉刀非但价值连城，而且故老相传，都说其中还藏着一个很大的秘密。

无论谁只要能解开这秘密，他立刻就可能变成富可敌国的武林高手。

江湖中的豪强大盗们，对这样东西眼红的自然也有不少。

他是不是能将这件家传之宝平平安安地送到宝珠山庄去，他自己也没把握。

这也是他的心事。

但是在这江花红胜火，春水绿如蓝的江南三月，还有什么心事是一个十九岁的少年人抛不开，放不下的？

假如还有一样，那就是他临出门时，他父亲板着面，耳提面命，再三嘱咐他，切切不可忘记的七大戒条。

直到现在，他仿佛还能听见他父亲那种严厉的语声：

“以你的聪明和武功，已勉强可以出去闯闯江湖了，但这几件事你还是千万不能去做，否则我保证你立刻就有麻烦上身。

“这是我积几十年经验得来的教训，你一定要牢记在心。”

段玉从小就是个孝顺听话的孩子，这几样事他连一样都不敢忘记，每天早上一醒过来，都要在心里反复念几次：

一、不可惹是生非，多管闲事。

二、不可随意结交陌生的朋友。

三、不可和陌生人赌钱。

四、不可与僧道乞丐一样的人结怨。

五、钱财不可露白。

六、不可轻信人言。

第七条，也是最重要的一条，就是千万不可和陌生的女人来往。

段玉一向是个很讨人喜欢的孩子，他不但健康英俊，彬彬有礼，而且很喜欢笑，很会笑，笑得很甜。

何况他鲜衣怒马，年少多金，女人见了若不喜欢，那才是怪事。

这本是段飞熊段老爷子最引以为傲的一点，现在却变成最担心的一点。

“女人本来就是祸水，江湖中的坏女人尤其多，你只要惹上了一个，你的麻烦就永远没得完了。”

这句话段飞熊至少对他儿子说过了五十次，段玉就算想忘记都困难得很。

你说是不是？

02

江南的春色若有十分，那么至少有七分是在杭州。

杭州的春色若有十分，那么至少有七分是在西湖。

有人说，西湖的春色美如图画，但世上又有谁能画得出西湖的春色？

你路过杭州，若不到西湖去逛一逛，实在是虚度一生。

你到了西湖，若不去尝一尝三雅园的“宋嫂鱼”，也实在是遗憾得很。

现在段玉恰巧路过杭州，到了西湖，他当然绝不会留下个遗憾在心里。

宋嫂鱼就是醋鱼。

鱼要活杀的而且要清蒸才是最上品的，蒸熟了之后，才浇上作料送席，所以送到桌上还是热气腾腾，那真是入口就化，又鲜又嫩。

正如成都的“麻婆豆腐”，醋鱼叫作宋嫂鱼，就因为这种做法是南宋时的一位姓宋的妇人所创始的。

但西湖水浅，三尺以下就是泥淖，鱼在湖水里根本养不大。

而且西湖根本就不准捕鱼，在西湖捕鱼，搅浑了一湖碧水，岂非也就跟花间问道，焚琴煮鹤一样，是件大煞风景的事。

所以醋鱼虽然以西湖为名，却并不产自西湖，而来自四乡。

尤其是塘栖乡，不但梅花美，鱼也美。

那里几乎是户户鱼塘，装鱼入城的船，船底是用竹篾编成的，比西湖的画舫还大，鱼在船底，就好像在江水里一样。

船到武林门外，在小河埠靠岸，赤着足的鱼贩子就用木桶挑进城里去，木桶里也装满了江水，桶上的竹箩里，还装着一大箩鲜蹦活跳的青壳虾。

在曙色朦胧的春天早上，几十个健康快乐的小伙子，挑着他们一天的收获，踏着青石板路往前走，那景象甚至比醋鱼更能令人欢畅。

于是临湖的酒楼就将这些刚送来的活鱼，用大竹笼装着，沉在湖水里，等着客人上门。

西湖的酒楼，家家都有醋鱼。

定香桥上的花港观鱼，老高庄水阁上的五柳居，都用这种法子卖鱼的。

只有涌金门外的三雅园是例外。

段老爷子最欣赏的就是三雅园，只要到了西湖，少不了要到三雅园去活杀条鲜鱼，清蒸了来下酒。

所以段玉也到了三雅园。

三雅园就在湖畔，面临着一湖春水，用三尺高的红漆雕栏围住。

栏杆旁有十来张洗得发亮的白木桌子，每张桌子上都准备有鱼饵和钓竿。

鱼已放入湖里，用竹栏围住，要吃鱼的，就请自已钓上来。

自己钓上来的鱼，味道总仿佛特别鲜美。

段玉钓了两尾鱼，烫了两角酒，面对着这西湖的春色，无鱼已可下酒，何况还有鱼？

所以两角酒之后，又来了两角酒。

段飞熊没有关照他，叫他少喝酒，只因为人人都知道段家的大公子有千杯不醉的海量。

无论谁要想将他灌醉，那简直就好像要将鱼淹死一样困难。

酒是用锡做的“爨筒”装来的，一筒足足有十六两。

四角酒就是四斤，段玉喝的是比远年花雕还贵一倍的“善酿”。

这种酒本就是为远来客准备的，虽然比花雕贵一倍，却未必比花雕好多少。

真正好的是陈年竹叶青，淡淡的酒，入口软绵绵的，可是后劲却很足，两三碗下了肚，已经有陶陶然的感觉。

段玉喝的虽不是竹叶青，现在也已有了那种陶陶然的感觉。

他喜欢这种感觉，准备喝完这两筒，再来两筒，最后才叫一碗过桥双醮的虾爆鳝面来压住这阵酒意。

听说这里的面并不比官巷口的“奎元馆”做得差。

杭州人大多都能喝酒。

他们喝酒用碗，一碗四两，普通喝个六七碗都不算稀奇。

但一喝就是五六斤，就有点稀奇了，何况喝酒的又只不过是个十八九岁的年轻人。

已经有很多人开始注意他了，眼睛瞪得最大的，是旁边座上一个也穿着浅紫长衫的白面书生。

这少年的年纪好像比段玉还小两岁，大大的眼睛，挺直的鼻子，穿着很时新，样子很斯文，很秀气，看来正是和段玉出身差不多的富家子弟。

最妙的是，他桌上也有好几个四碗装的空爨筒，显见得酒量也不小。

酒量好的人，通常总是会对好酒量的人有兴趣的。

所以他忽然对段玉笑了笑。

段玉没有看见。

其实他也早已在注意这大眼睛的年轻人，也不是对这人没兴趣。

只不过段公子虽然初入江湖，但却绝不笨，也不瞎，事实上，他比大多数人都聪明得多，眼睛也比大多数人亮得多。

他一眼就已看出这大眼睛的小伙子，并不真的是个小伙子，而是个大姑娘女扮男装的。

“在路上千万不可和陌生的女人打交道。”

这教训段玉并没有忘记，也不敢忘记，他一向是个很听话、很孝顺的好孩子。

所以他眼睛就一直盯在对面的一艘画舫上。

这画舫是从柳荫深处摇出来的，翠绿色的顶朱红的栏杆，雕花的窗子里，湘妃竹帘半卷。

一个风姿绰约的绝代丽人，正坐在窗口，调弄着笼中的白鹦鹉。

她一只手托着香腮，手腕圆润，手指纤美，眉宇间仿佛带着种淡淡的幽怨，仿佛正在感怀着春光的易老，情人的离别。

她也是个女人，只不过距离远的女人，总比旁边桌上的女人安全些。

至少她总不能飞过这五六丈湖水，过来找段玉的麻烦。

但旁边桌上的女人要过来就容易得多了。

现在她就真的好像有这意思，忽然抱拳道：“这位兄台请了。”

段玉看了看后面，又看了看旁边，好像还不知道别人找的就是他。

这大眼睛的小姑娘抿着嘴一笑，说道："我的兄台，就是阁下。"

她笑的时候鼻子先皱起来，就好像春风吹起了湖水中的涟漪。

她不笑的时候，已经是个很可爱的女孩子，这一笑起来，简直可以让男人跳楼。

段玉再想装傻也不行了，也只好笑了，笑道："阁下是在跟我说话？"

小姑娘瞪着大眼睛笑道："不是跟你说话是跟谁说话？"

段玉轻轻咳嗽了两声，道："却不知阁下有何见教？"

这小姑娘"唰"地将一柄洒金折扇展开，轻摇着折扇道："独酌不如同饮，如此佳日美景，阁下何不移玉过来共谋一醉？"

明明连瞎子都可看得出她是个女人，她却偏偏还要装出男人的样子。

段玉叹了口气，道："在下也颇有此意，怎奈素昧平生，何况男女有别。"

小姑娘怔了怔，眼睛瞪得更大了，道："你说男女有别？你难道是个女人？"

段玉又笑了，忍住笑道："阁下当然也看得出我不是。"

小姑娘眨着眼，道："你不是谁是？"

段玉道："你。"

这小姑娘瞪了他半天，摇着头，喃喃道："原来这人的眼睛有点毛病。"

她一只手还在摇着折扇，另一只手端起酒碗来，仰着脖子喝了下去。

她喝起酒来实在不像是个女人。

段玉在心里叹了口气。

现在正是春天，他今年才十九，正是最容易动心的年纪。

他实在很想过去，只可惜他怎么也忘不了他父亲板起脸来的样子。

要做个又孝顺又听话的好孩子，可实在真不太容易。

夕阳满天，照得“浓妆淡抹总相宜”的西子湖更绚丽多姿。

轻雪般的绿柳，半开的红荷，朦胧的远山，倒映在闪动着金光的湖水里。

远处也不知是谁在曼声而歌：

小村姑儿光着脚，
下水去割灯芯草。
一把草儿刚系好，
躺在溪边睡着了。

柳荫盖着她的脸，
她的脚儿小又巧。
三个骑士打马来，
脸上全都带着笑。

一个骑士跳下马，
痴痴望着她的脚；
有个骑士胆较大，
居然亲亲她的嘴；
第三个耍的把戏，
怎好记在歌词里。
哎呀，可怜的小村姑，
她为什么要贪睡？

柔美的歌声，绮丽的词句，充满了一种轻佻的诱惑和挑逗之意。

这是不是一个多情的村姑，正在用歌声暗示她的情人，要他的胆子大些？

段玉忍不住又在心里叹了口气，他竟连看都不敢去看旁边那小姑娘一眼。

他觉得自己实在太没用，连酒都不想再喝了，正想叫碗过桥双醮的虾爆鳝面来，吃饱了找个地方去大睡一觉。

就在这时，湖面上突然有艘梭鱼快艇，箭一般破水而来。

快艇上迎风站着四个浓眉大眼、头皮刮得发青的健壮大和尚。

风吹湖水，快艇起伏不停，这四个大和尚却好像钉子一般钉在船头，纹丝不动。

段玉一眼就看出他们都是练家子，而且下盘功夫都练得很好。

“在江湖中最不能惹的，就是和尚、道士和乞丐。”

因为这种人只要敢在江湖中行走，若非有出众的武功，就一定有很大的势力。

如此良辰美景，这几个出家人为什么要到这里来横冲直闯？

段玉本来有点奇怪的，现在也决心不去管他们的闲事了。

“是非全为多开口，烦恼皆因强出头，若要想一路平安，就千万不可惹是生非，多管闲事。”

段玉喝完了最后一碗，只等他叫的面来吃完了就走。

只听“砰”的一声，那艘快艇居然笔直地往画舫上撞了过去。

窗子里坐着的那正在调弄着白鹦鹉的丽人，被撞得几乎跌了下去。

那四个大和尚却已跃上画舫，凶神恶煞般冲了进去，指着她的鼻子破口大骂，却又听不出骂的什么。

连笼里的白鹦鹉都已被吓得吱吱喳喳又跳又叫，人更已被吓得花容失色，全身抖个不停，看来更楚楚可怜。

这些大和尚偏偏不懂怜香惜玉，有一个竟伸了蒲扇般的大手，仿佛想去抓她的头发。

哪里来的这些恶僧，简直比强盗还凶，光天化日之下，众目睽睽之前，居然就敢这么样欺负一个可怜的单身女人。

这种事若再不管，还谈什么扶弱锄强、行侠仗义？

段玉只觉胸中一阵热血上涌，他什么都顾不得了，抓起桌上的刀，霍然一长身，就已蹿出了栏杆。

栏杆外就是一片湖水，眼见着他就要掉下去，那大眼睛的小姑娘似已惊呼失声。

谁知段玉年纪虽轻，武功却很老到，早已看准了落脚处。

只见他脚尖在围住鱼塘的竹栏上一点，人又腾身而起，使出来的竟是登萍渡水，燕子三抄水这一类的绝顶轻功。

大眼睛的小姑娘惊呼还没有完，段玉已凌空翻身，一式“细胸巧翻云”，跟着一式“平沙落雁”，轻飘飘地落在画舫上。

四个大和尚中，有一个正留在舱外观望，看见有人过来立刻沉着脸低叱道：“什么人？来干什么？”

这和尚一脸金钱麻子，眼露杀机，看来就不像是个清净的出家人。

段玉也沉下了脸，道：“你们是出家人，还是强盗？”

这和尚仿佛终于想起了自己的身份，双掌合十，道：“阿弥陀佛，出家人怎么会是强盗？”

段玉道：“既然不是强盗，怎么比强盗还凶，连强盗也不敢这么样欺负女人。”

和尚厉声道：“你是那女子的什么人？要来管这闲事？”

段玉挺起胸，道：“天下人管天下事，这闲事我为何管不得？”

船舱又传出那丽人的惊呼：“救命呀，救命，这些凶僧要行非礼。”

段玉火气更大了，冷笑道：“看来你们这些和尚的胆子倒真不小。”

这和尚怒道：“你的胆子也不小，竟敢在洒家面前如此放肆。”

他嘴里说着话，一双手也没闲着，突然沉腰坐马，双拳齐出，猛击段玉的腰肋，用的竟像是少林正宗伏虎罗汉拳。

只可惜段玉并不是老虎，什么罗汉拳也伏不了他。

他身子一偏，已反手扣住了这和尚的脉门，四两拨千斤，轻轻一带。

这种借力打力的功夫，正是这种刚猛拳路的克星，和尚用的力愈大，跌得就愈惨。

他这一拳力量可真不小，只见他一个百把斤重身子突然飞起，“扑通”一声，竟然掉入湖水里。

岸上有人在鼓掌，却也不知是不是那大眼睛的小姑娘。

段玉还没有回头去看，船舱中已有两个大和尚冲了出来。

这两人身法矫健，出手更快，忽然间，两双钵头般大的拳头已到了段玉面前，只听拳风虎虎，果然是招沉力猛。

只可惜中原第一条好汉段飞熊的大公子，武功非但不比他父亲差，简直已有青出于蓝之势。

尤其是他的轻功身法，不但轻灵过人，而且又潇洒，又漂亮。

他轻轻一提气，突然鹞子翻身，人已到了这两个和尚的身后。

和尚变招也不慢，甩手大翻身，“罗汉脱衣”，挥拳反击。

可是他已经太慢了。

段玉手里的刀鞘，已打在他左肩的肩井穴上。

他刚翻身，这部位正是他全身平衡的重心，一下子被打着，身子立刻站不稳，踉跄后退了七八步，“砰”地撞断了船上的栏杆。

另一个和尚比他还慢一点。

段玉再一挥手，只听“扑通，扑通”两声，两个和尚又掉入水中。

剩下的一个和尚刚抢步出舱，脸色已变了，也不知是出手的好，还是不出手的好。

他做梦也没有想到，这看来斯斯文文的少年人，竟有这么样一身惊人的武功。

他简直从未看见过任何一个少年人，有这么样的武功。

段玉也在看着他。

这和尚年纪比较大，样子也好像比较讲理，最重要的是，他还没有伸手打人。

所以段玉对他也比较客气，微笑着道：“你的伙伴都走了，你还不走？”

这和尚点点头，长长叹息了一声，忽然问道：“施主高姓？”

段玉道：“我姓段。”

和尚道：“大名？”

段玉道：“段玉。”

和尚又叹了口气，道：“段施主好武功。”

段玉笑道：“马马虎虎，还过得去。”

和尚忽然沉下了脸，冷冷道：“但段施主无论有多么高的武功，既然管了今日之事，以后只怕就很难能全身而退了。”

段玉道：“哦？”

和尚道：“施主难道看不出贫僧等是从什么地方来的？”

段玉道：“和尚当然是从庙里出来的，除非你们不是和尚，是强盗。”

这和尚狠狠瞪了他一眼，什么话都不再说，突然跃起，“扑通”，也跳进水里。

段玉又笑了，喃喃道：“有福同享，有难同当，看来这和尚倒蛮够义气。”

他挥了挥衣裳，想走，又想过去问问那白衣丽人有没有受伤。

正拿不定主意的时候，船舱中已有人在呼喝：“段公子，请留步。”

声音如出谷黄莺，又轻、又脆、又甜，和她喊救命的时候大不相同了。

段玉轻轻咳嗽了两声。

他并不是真的想咳嗽，这是段老爷子的毛病，老爷子喉咙里总是有痰，要说重要的话时，总喜欢先咳嗽两声。

所以段公子也学会了，他发觉在没有话说的时候，先咳嗽几声，是种很好的法子。

谁知那白衣丽人却已走了出来，手扶着船舱，看着他，美丽的眼睛里充满了关切，柔声道：“段公子莫非着了凉？这里刚巧有京都来的枇杷膏，治嗓子最好。”

段玉连咳嗽都不敢咳了，勉强笑道：“不必……在下很好。”

白衣丽人嫣然道：“公子你本来就是个好人，我知道。”

段玉的脸红了，抢着道：“我不是这个意思，我是说，我没有病。”

白衣丽人笑得更甜，道：“没有病就更好了，船上还有一坛陈年的竹叶青……”

段玉赶紧道：“不必，不必客气，在下正要告辞。”

白衣丽人垂下头，轻轻道：“公子要走，贱妾当然不敢拦阻，只不过，万一公子一走，那些恶僧又来了呢？”

段玉没话说了。

要做好人，就得做到底。

岸上有人在叫：“船上那位公子的酒钱一共是一两七钱，还没有赏下来。”

白衣丽人笑道：“公子的酒钱，我……”

段玉赶紧道：“不行，不必客气，我这里有。”

要女人付酒钱，那有多难为情。

段玉公子出手救人，难道是为了要别人替他付酒钱？

这种事是千万不能让人误会的。

段玉立刻抢着将荷包掏出来，慌忙中一个不小心，银票和金叶子落了一地，连那柄碧玉刀都掉了下来。

幸好这白衣丽人并没有注意到别的事，她那双美丽的眼睛，好像已被段玉的酒窝吸住了，再也不愿意往别地方去看。

03

陈年的竹叶青确是好酒，颜色看来已令人舒畅，就仿佛是情人的舌头。

这白衣丽人正伸出小巧的舌头，直舔着嘴唇。

段玉赶紧低下了头喝，喝完了这杯酒，他才想到这一下子，已将第一、第四、第五、第七这四条戒律全都犯了。

要命的是，这艘画舫不知何时竟已荡入湖心，他要走都已来不及。

何况她现在已将他当作朋友，甚至连自己的名字都已告诉了他：

“我姓花，叫夜来。”

花夜来。

好美的姓，好美的名字。

好美的月色，好美的春光，好美的酒。

所有的一切事，仿佛都美极了，段玉在心里叹了口气，决定将自己放松一天。

每个人都应该偶尔将自己放松一下子的，你说是不是？

何况他今天做的，又不是什么坏事——谁能说救人是坏事？谁能说喝杯酒是坏事？

段玉立刻原谅了自己。

原谅自己岂非总比原谅别人容易？

所以段玉不醉也醉了。

04

明月。

西湖的月夜，月下的西湖，画舫已泊在杨柳岸边。

人呢？

人在沉醉，人在沉睡。

段玉只知道自己被带下了画舫，被带入一间充满了花香的屋子里，躺在一张比花香更香的床上，却分不出是梦是醒？

旁边仿佛还有个人，人也比花香。

是不是夜来香？他分不清，也不愿分得太清。

管它是梦也好，是醒也好，就这样一份蒙蒙眬眬、飘飘荡荡的滋味，人生又有几回能够领略得到。

夜很静，夜凉如水。

风吹着窗户，窗上浮动着细碎的花影。

旁边仿佛有人在轻声呼唤：“段公子，段玉，玉郎。”

段玉没有回答，他不愿回答，不愿清醒。

但他却能感觉到身旁有人在转侧，然后就有一只带着甜香的手伸过来，像是在试探他的呼吸。

他的呼吸均匀。

手在他脸上轻轻晃了几下，人就悄悄地从床上爬了起来。

比花更美的人。

长长的腿，细细的腰，乌云般的头发披散在双肩，皮肤光滑得就像是缎子。

连月亮都在窗外偷窥，何况人？

段玉悄悄地将眼睛睁开一线，忍不住从心里发出了赞赏之意。

幸好他没有将这赞美说出口来，因为他忽然发现花夜来竟悄悄地提起了他的衣裳，用最轻巧的手法，将他衣袋中的荷包拎了出来。

然后她就悄悄地走到窗口，窗台上摆着几盆花，是不是夜来香？

她迟疑着，居然将第二盆花从花盆里提了起来，带着泥土一起提了起来。

然后她就用最快的动作，将段玉的荷包塞入花盆里，再将花摆进去，将泥土轻轻地拍平。

现在谁也看不出这盆花有什么特别的地方了。

她轻轻吐出了口气，转回身来的时候，脸上不禁露出了得意的微笑。

她笑得真甜，简直就像是个天真无邪的孩子。

只可惜段玉这时已不能欣赏。

他已闭起了眼睛，鼻子里甚至发出了一种轻微均匀的鼾声，正是喝醉了的人发出的那种鼾声。

花夜来站在床头，满意地看着他，悄悄地爬上床，用一双光滑柔软的手臂将他抱住。

现在她似乎已希望他醒过来了。

段玉当然没有醒。

她轻轻叹了口气，忽忽低低哼起了一首歌曲，唱的仿佛是：

“哎呀，可怜的小伙子，

他为什么要贪睡呢？”

她低低地哼着，呼吸愈来愈重，压在段玉身上的手臂也仿佛愈来愈重。

她睡着了，带着满心得意和欢喜睡着了。

风吹着窗户，窗上浮动着细碎的花影。

段玉慢慢地翻了个身，轻唤道：“花姑娘，花夜来。”

没有回应。

她的呼吸沉重而均匀，她毕竟也喝了不少竹叶青。

段玉又等了很久，才悄悄地爬起来，拿起了他的衣裳，悄悄地走到窗口。

窗纸已有些发白了。

段玉提起了那盆花，也用最快的手法，将花盆里的东西全都倒在他的衣服里。

然后他再将花摆进去，将土拍平。

他脸上也不禁露出了得意的微笑，但转身看到她时，心里又不禁有些歉意。

这善良的少年人，从不愿令别人失望的，何况是这么样一个美丽的女人。

他悄悄地走过床前，顺便提起了他那双精致的小牛皮靴子。

床上的人儿忽然翻了个身，呢喃着道："你起来干什么？"

段玉勉强控制着自己的心跳，柔声道："我要早点走，一早我还要赶路。"

床上的人点点头，眼睛还是张不开，含含糊糊地说道："回来时莫要忘记再来看我。"

段玉道："当然。"

其实他当然也知道，明天她一定就已不会在这地方了。

床上的人满足地叹了口气，很快就又睡着。

她当然想不到这迷迷糊糊的少年人会发觉她的秘密，现在只希望他快走。

花盆下面实在是个藏东西的好地方。

他若没有恰巧看见，第二天早上醒来，发现自己东西不见了时，也没法子说是她拿的。

捉贼要捉赃，这道理他也懂的，当然只有吃定这哑巴亏了。

何况这种事根本就没法子说出去的。

唉，女人，看来男人对女人的确要当心些。

天已经快亮了，淡淡的月还挂在树梢，朦胧的星却已躲入青灰色的穹苍后。

青石板的小路上，结着冷冷的露珠。

段玉赤着脚，穿过院子，冷冷的露水从他脚底一直冷到头顶。

他忽然变得很清醒，简直从来也没有这么样清醒过。

墙并不高，墙头也种着花草。

花香在清冷的晓风里沁入心里。

段玉掠了出去，在墙角穿起了他的靴子，再把从花盆里倒出来的东西放回衣袋里，抬起头，长长呼吸着这带着花香的晨风。

他忽然发现这西子名湖在凌晨看来竟比黄昏时更美。

他沿着湖岸的道路慢慢地走着，领略着这新鲜的湖光山色。

他一点也不急，就算再走三天三夜才能走到他昨天投宿的客栈也没关系。

那狡猾而美丽的女人醒来后，发现那花盆又变成空的时候，脸上会有什么样的表情呢？

想到这里，段玉忍不住笑了，心里虽然难免多多少少有些歉意，但那种秘密的、罪恶的欢喜却远比歉意更浓得多。

他忍不住伸手入怀，将那些失而复得的东西再拿出来欣赏一遍。

他怔住。

荷包里除了他父亲给他的银票，他母亲给他的金叶子和那一柄碧玉刀外，居然又多了两样东西。

一串比龙眼还大的明珠，一块晶莹的玉牌。

这样的珍珠找一颗也许还不难，但集成这样一串同样大小的，就很难得了。

玉牌也是色泽丰润，毫无瑕疵。

段玉当然是识货的，一眼就看出这两样东西都是价值连城的宝物。

这两样东西是哪里来的？

段玉很快就想通了，花夜来一定早已将她那花盆当作她秘密的宝库。

在他之前，想必已有人上过她同样的当。

段玉又笑了，他实在觉得很有趣。

他当然并不是个贪心的人，但是用这法子来给那贪心而美丽的女人一点小小的惩罚，也并不能算是问心有愧。何况，现在他就算想将这些东西拿去还给她，也找不着她那秘密的香巢了。

事实上，他也不想再去惹这麻烦。

“这些东西本来就不是她的，要还也不能还给她呀。”

段玉叹了口气，最后终于得到了这结论。

于是他就将所有的东西全都放回他自己的衣袋里。

他对自己处理这件事的冷静和沉着觉得很满意，非常满意，简直满意极了。

他觉得自己实在也应该得到奖励。

天色又亮了些。

一声“欸乃”，柳荫深处忽然有艘小艇荡了出来。

撑船的船家年纪并不太大，赤足穿着草鞋，头上戴着顶大笠帽，远远就向段玉招呼着道：“相公是不是要渡湖？”

段玉又发现自己的运气实在不错，他正不知道该走哪条路回去，刚想找条船来渡湖，渡船就来了。

“你知道石家客栈在哪边？”

当然知道。西湖的船家，又有谁不知道石家客栈的。

于是段玉就跳上了船，笑道：“你渡我过去，我给你十两银子。”

他自己觉得很快乐时，总是喜欢让别人也分享一点他的快乐。

快乐本是件很奇怪的东西，绝不会因为你分给了别人而减少。

有时你分给别人的愈多，自己得到的也愈多。

谁知这船家非但一点也没有欢喜感激之意，反而翻起了白眼，瞪着他道：“你莫非是强盗？”

段玉笑了，道：“你看我像是个强盗？”

船家冷冷道：“若不是强盗，怎么会渡一次湖就给十两银子？”

段玉道：“你嫌多？”

船家道："本来嫌多的，现在却嫌少了。"

段玉忍不住问道："为什么？"

船家道："你的银子既然来得容易，要坐我的船，就得多给些。"

段玉眨了眨眼，道："你要多少？"

船家道："你身上有多少，我就要多少。"

段玉又笑了，道："原来我不是强盗，你才是强盗。"

船家道："你现在才知道，已经太迟了。"

他长篙只点了几点，船已到了湖心，两膀少说也有三五百斤的力气。

段玉看着他，道："这真是条贼船？"

船家冷冷道："哼。"

段玉道："听说贼船上若要杀人时，通常有两种法子。"

船家道："你知道的事倒真不少。"

段玉道："却不知你是想请我吃板刀面呢，还是要把我包馄饨？"

船家道："那就得看你的银子是不是给得痛快了。"

段玉道："善财难舍，要拿银子给人，怎么能痛快得起来。"

船家冷笑道："那么看来我只好先请你下去洗个澡。"

段玉道："不用客气，我刚洗过。"

船家不等他的话说完，已忽然跳起来，一个猛子扎入水里。

接着，这一条小船就在湖心打起转来，转得很快。

段玉居然还是一点也不着急，喃喃道："只打转还没关系，翻了才糟糕。"

这句话还没有说完，小船果然已翻了身。

谁知段玉还没有掉下去。

船要翻的时候，他的人已凌空跃起，等船底翻了天，他就轻飘飘地落在船底上，喃喃道："翻身还没关系，沉了才真糟糕。"

突听“咚”的一响，船底已破了个大洞，小船立刻开始慢慢地往下沉。

段玉还是没有掉下去。

撑船的竹篙，漂在水面上，他突然掠过去，脚尖在竹篙上轻轻一点，竹篙就跟着向前滑出。

他的人已借着这足尖一点之力，换了一口气，再次跃起，等竹篙滑出三丈，他又掠过去用脚尖一点。

换过三次气后，他居然已又轻飘飘地落在岸上，喃喃道：“看来船沉了也不太糟糕，只不过真有点可惜而已。”

只听“哗啦啦”一声水响，那船家已从水里冒出头来，用一双又黑又亮的眼睛看着他。

段玉背负着双手，微笑道：“现在水还很冷，洗澡当心要着凉。”

船家又瞪了他半天，忽然长长叹了口气，道：“果然是好轻功。”

段玉道：“马马虎虎还过得去。”

船家沉下了脸，冷冷道：“只可惜你空有这样的一表人才，偏偏不学好。”

段玉失声笑说道：“是你不学好，还是我不学好？”

船家却长叹了口气，淡淡地道：“我本来还想保全你，指点你一条明路的，现在看来你已只有死路一条了。”

段玉也叹了口气，道：“先要请我吃板刀面，又要请我下湖洗澡，这也算是指点我的明路？”

船家冷笑一声，一低头，又扎入了水里。

段玉突又唤道：“等一等。”

船家慢慢地从水里露出头来，道：“你还有什么话说？”

段玉笑了笑，道：“我忘了谢谢你。”

船家皱眉道：“谢谢我？”

段玉微笑道："不管你说的话是真是假，我一样还是要谢谢你。"

他的微笑纯真而坦诚，用这种笑容对人，永远都不会吃亏的。

船家看着他，过了很久，忽然又叹了口气，道："像你这样的年轻人，死了的确有点可惜。"

段玉笑道："我也不想死。"

船家沉吟着，道："你现在若赶到凤林寺去，找一位姓顾的道人，也许还有一线生机。"

段玉苦笑道："我活得好好的，你为什么总是说我快要死了呢？"

船家道："你难道已经忘了你自己都做过什么事？"

段玉皱了皱眉，道："我做了什么事？"

船家沉着脸，道："你得罪了个不能得罪，也不该得罪的人。"

段玉想了想，恍然道："你说的是那四个大和尚？"

船家仿佛已觉得自己话说得太多了，一翻身，就没入水里。

段玉道："凤林寺又在什么地方呢？你不告诉我，叫我到哪里找去？"

他说话的声音虽大，只可惜湖面上早已没了那船家的影子，连小船的影子都已看不见了。

段玉叹了口气，苦笑道："是不是我的运气已渐渐变坏了？"

他慢慢地转过身，忽然发现柳荫深处，正有双大眼睛在瞪着他。

那大眼睛的小姑娘居然又出现了，身上穿的还是昨天那件浅紫色的长衫，腰畔的丝条上却多了柄装潢很考究的长剑。

段玉这才想起，自己还是忘记了一样东西——他的刀。

他只记得昨天在画舫上开始喝酒的时候，那柄刀还在桌上的。

之后他就忘了，不但忘了那柄刀，几乎连自己的人都忘了。

这柄刀也叫作碧玉刀，本是段老爷子少年时闯荡江湖的成名武器，据说还是段夫人未嫁时送给他的定情之物。

直到段玉十八岁时，段老爷子才将这柄刀传给他。

段玉在心里叹了口气，眼前仿佛又出现了他父亲那板着脸教训他的样子。

大眼睛的小姑娘看见他转过头来，也板起了脸，冷笑道："连凤林寺在哪里都不知道，还出来走什么江湖？"

段玉忍不住问道："你知道凤林寺在哪里？"

小姑娘往外面看了看，道："你在跟谁说话？"

段玉笑道："这里难道还有别的人么？"

小姑娘板着脸，冷冷道："你既然知道男女有别，还找我说话干甚？"

原来她还一直将昨天那笔账记在心里。

女人家心眼总是小些，男子汉大丈夫，总该让着她们一点。

段玉赔笑道："姑娘若知道凤林寺在哪里，又何妨指点我一条明路？"

小姑娘瞪大眼睛，冷笑道："你我素昧平生，我凭什么要指点你的明路？"

段玉道："在下段玉，姑娘贵姓？"

小姑娘道："既然男女有别，连酒都不能喝，又怎么能互通名姓？"

看来这位小姑娘不但气量褊狭，而且还难缠得很。

段公子可也不是受惯别人的气的人，只要有凤林寺这么个地方，还怕打听不出来？

他笑了笑，向这难缠的小姑娘抱了抱拳，道："我惹不起你，总躲得起你吧。"

谁知这小姑娘却又唤道："你回来，我们话还没有说完。"

段玉只好转回来，苦笑道："还有什么话没说完的？"

小姑娘冷笑道："我问你，你既然不能跟我同桌喝酒，为什么就能到别人船上去喝酒？而且一喝就是一夜，难道她就不是女人，难道你们就不是男女有别？"

原来她心里真正不舒服的是这件事。

段玉不说话了，这种事反正就是解释不清的，不解释有时反而是最好的解释，何况，他又何必来跟这不讲理的小姑娘解释。

小姑娘却还是不肯放松，大声道："你怎么不开腔了，自己知道理亏是不是？"

段玉只有苦笑。

小姑娘瞪着他，竟忽又嫣然一笑，道："自己知道理亏的人，倒还有药可救，你跟我来吧。"

段玉怔了怔，道："你肯带我到凤林寺去？"

小姑娘咬着嘴唇，道："不带你到凤林寺去，难道带你去死？"

"千万不可和陌生的女人打交道，千万不可。"

段玉只有在心里叹气，看来他现在又不得不跟另一个陌生的女人打交道了。

他只希望这个比那个稍微好一点。

起了风，柳絮在空中飞舞，就像是初雪。

这小姑娘分开柳枝，慢慢地在前面走，她穿着虽是男人打扮，腰肢却还是在轻轻扭动。

是不是故意扭给段玉看的？好证明她已不是个小姑娘，已是个成熟的女人？

段玉想不看都不行，事实上，这小姑娘纤腰一扭，柔若柳枝，虽然稚气未脱却另有一种醉人的风韵。

男人的眼睛，岂非本就是为了看这种女人而长出来的？

段玉正是少年，段玉才十九。

小姑娘仿佛也知道有人在后面看着她，忽然回眸一笑，道："我姓华，叫华华凤。"

华华凤，这名字也美得很。

段玉笑了，觉得对自己总算有了个交代，现在她至少已不能算是完全陌生的女人了。

他至少已知道她的名字。

05

凤林寺就在岳王坟旁的杏花村左邻，是西湖的八大丛林之一。

寺中的香火一向很盛，尤其是在春秋佳日，游湖的人就算不信佛，也会到庙里来上几炷香的。

凤林寺是和尚寺。那个船家为什么要叫段玉来找一个姓顾的道人呢？

华华凤眼珠转动着，道："那船家叫你来找一个姓顾的道人？"

段玉道："嗯。"

华华凤道："你没有听错？"

段玉苦笑道："我耳朵还没有毛病。"

华华凤道："可是据我所知，凤林寺中连一个道士都没有，只有和尚。"

段玉皱眉道："昨天我打下水的那四个和尚，莫非就是凤林寺的？”

华华凤道：“不对，凤林寺的方丈，好像是法华南寺的传人，那四个和尚使的都是少林拳。”

段玉笑道：“看不出你倒也是行家。”

华华凤冷笑道：“难道只许男人打架，就不许女人练武？”

段玉道：“我没有这意思。”

华华凤道：“你是不是也跟别的男人一样，总认为女人要什么都不懂才好？”

段玉道：“我也没有这意思。”

华华凤道：“你是什么意思？”

段玉道：“我只不过说你的眼力很好，是个行家，这难道还有什么别的意思？”

华华凤道：“这句话虽然没有说错，可是你说话的口气却不对。”

段玉叹了口气，道：“现在我总算也明白你的意思了。”

华华凤道：“哦？”

段玉苦笑道：“你好像很喜欢找人的麻烦，很喜欢找人吵架。”

华华凤道：“谁说我喜欢找别人吵架，我只喜欢找你。”

这句话说出来，她自己也忍不住笑了。

段玉看着她的甜笑，心里忽然也觉得甜甜的，这连他自己也弄不清是怎么回事。一个女人喜欢找你的麻烦，跟你吵架，你本应觉得很丧气才对。奇怪的是，有时你反而偏偏会觉得很欢喜。

女人总是要说男人是天生的贱骨头，大概也就因为这道理。

段玉在看着她的时候，华华凤也在看着段玉。他们你看着我，我看着你，好像已忘了这世上还有别的人。这地方当然不止他们两个人，别的人当然全在看着他们。

段玉本来已经很够引人注目的了，何况再加上一个半男不女的华华凤。

她忽然板起脸来大发娇嗔，忽然又笑得那么甜，有几个人简直连眼睛都已看直了。

现在刚过清明，正是游湖的佳期，这一路上的人就不少，到了庙门口，更是红男绿女，络绎不绝的。

其中有远地来的游客，也有从城里来上香的，有背着黄布袋卖香烛的老人，也有提着花篮卖茉莉花的小姑娘，有吴侬软语、酣美如莺的少妇，也有满嘴粗话的市井好汉。

事实上，在这种地方，各式各样不同的人你几乎全可以看得到。就只看不到道人，连一个都没有。道士本就不会到和尚庙里来。

墙角后有两个眉清目秀的小沙弥，正躲在那里偷偷地吃糖，正是刚从凤林寺里溜出来的。

段玉生怕犯了和尚的忌讳也不敢到庙里去打听，但过去问问这两个小沙弥，大概总不会有什么关系。

“借问两位小师傅，庙里是不是有位姓顾的道人？”

“没有。”

“道士从不敢上这里的门，就算来了，也要被打跑的。”

“为什么？”

“因为有好些道人看着这里的香火盛，总是想到这里来夺庙产，打主意。”

“而且我师父常常说，道士连头发都不肯剃，根本就不能算六根清净的出家人。”

“听说有的道士还有老婆哩。”

这两个小沙弥显然刚出家不久，看他们的表情，好像很遗憾自己为什么不去做可以娶老婆的道士，反来当了和尚。

段玉觉得很有趣，偷偷塞了锭银子在他们怀里，悄悄道："过两天找顶帽子戴上，到三雅园去吃条宋嫂鱼，那比糖好吃。"

小沙弥看了他两眼，忽然一溜烟跑了。

华华凤忍不住笑道："你在诱人犯罪。"

段玉道："吃鱼不能算犯罪。"

华华凤道："出家人怎么能动荤腥？"

段玉道："酒肉穿肠过，佛在心头坐，这句话你难道没听说过？"

华华凤笑道："幸好你没去做和尚，否则一定是个花和尚。"

段玉道："我就算要出家，也宁愿做道士，不会做和尚。"

华华凤道："为什么？"

段玉微笑道："你应该知道为什么。"

华华凤想起那小沙弥的话，狠狠瞪了他一眼，却又忍不住笑了，道："我本来还以为你很老实，谁知道你也不是个好人。"她忽又接着道，"但你却是个呆子。"

段玉道："呆子？"

华华凤道："是谁说这庙里有道士的？"

段玉道："那位船家。"

华华凤道："你认得他？"

段玉道："不认得。"

华华凤道："但他叫你到这里来找道士，你就来了，他若叫你到这里来找个尼姑，你是不是也一样会来？"

段玉怔住。

"第六条，不可轻信人言。"

他忽然发觉自己又将他爹爹的戒律犯了一条。

华华凤道："你打的若真是少林门下，这麻烦的确不小，但少林寺乃是名门正宗，也不至于为了这点事就要你的命呀。"

段玉听着。

华华凤又道："何况，少林寺若真要将你置之于死地，就连武当山的龙真人都未必能管得了，何况一个名不见经传的道士。"

段玉叹气。

华华凤也叹了口气，继续说道："像你这么样随随便便就相信别人的话，总有一天被人卖了都不知道的。"

段玉忽然道："我只相信一件事。"

华华凤道："什么事？"

段玉道："那船家这么说，绝不会只为了要骗我到这里来白跑一趟。"

华华凤道："你认为他另有目的？"

段玉点点头，道："他若是存心要害我，就一定会先在这里挖好个陷阱等着我来跳。"

华华凤眨着眼，道："你想跳？"

段玉苦笑道："只可惜现在我连这陷阱在哪里都不知道。"

华华凤道："你若知道，那也就不能算是个陷阱了。"她忽又笑了笑，悠然道，"就因为陷阱永远是你看不见的，所以你才会掉下去。"

段玉道："所以我随时都可能掉下去。"

华华凤道："不错。"

段玉也眨了眨眼，道："那船家和我素不相识，若连他都要来害我，对面那赶车的就也可能是他的同谋。"

华华凤正色道："嗯，很可能。"

段玉眼珠子四面一转，道："这地方每个人说不定都有可能。"

华华凤道："嗯。"

段玉的眼睛忽又瞪在她脸上，道："你呢？你是不是也有可能？"

华华凤板着脸道："最可能的就是我。"

段玉道："哦。"

华华凤道："我现在就想灌你碗毒酒，活活地毒死你。"

段玉叹道："毒死总比淹死好。"

华华凤瞪着他，道："你敢跟我去？"

段玉道："到哪里去？"

华华凤的手向前一指，道："那边好像就有个地方卖酒的，你……"

她声音忽然停止。因为她发现自己的手正指着三个字——

就是"顾道人"这三个字。

第二章

顾道人

01

用竹竿高高挑起的青布酒帘，已洗得发白，上面写着三个龙飞凤舞的大字。

就是“顾道人”这三个字。

“顾道人”竟是个酒馆的名字。

这酒馆只不过是三间用木板搭成的小屋，屋子里阴暗而潮湿，堆满了酒缸。

木屋前的竹棚下，也摆着一只只的大酒缸，酒缸上铺着白的木板，就算是喝酒的桌子，客人们就坐在旁边的小板凳上喝酒。

杭州城里有很多冷酒店，也都是这样子的。

这里酒店只卖冷酒，没有热菜，最多只准备一点煮花生、盐青豆、小豆干下酒，所以来的也多半是会喝酒的老客人。

这种人只要有酒喝就行，既不分地方，也不分时候，所以现在虽然还是上午，但这酒店的桌子却已摆了起来。

一个斜眼的小癞痢，正将一大盆盐水煮的毛豆子从里面搬出来，摆在柜台上。

已经有两个长着酒糟鼻的老头子在喝酒了。

华华凤和段玉已坐下来等了半天，那小癞痢还未过来招呼。

段玉试探着问道："你就是这里的老板？"

小癞痢翻了翻白眼，道："我若是这里的老板，这地方就该叫小癞痢了。"

段玉道："老板是谁？"

小癞痢手往那酒帘上一指，说道："你不认得字？"

段玉笑说道："原来这个地方真有个姓顾的道人。"

小癞痢用斜眼瞪着他，道："你们到底喝不喝酒？"

华华凤瞪起了眼，道："不喝酒来干什么？"

小癞痢道："要多少酒？"

华华凤接着道："先来二十碗花雕，用筒子装来。"

小癞痢又用斜眼瞪着她，脸上这才稍微露出了一点好颜色。

在这里只有一种人才是受欢迎，受尊敬的，那就是酒量好的人。

阴暗的柜台外，居然还挂着副对联。

"肚饥饭盅小，鱼美酒肠宽。"

段玉又忍不住问道："这里也卖醋鱼？"

小癞痢道："不卖。"

段玉道："可是这副对联……"

小癞痢道："对联是对联，鱼是鱼。"

他翻着白眼走了，好像连看都懒得再看段玉。

段玉苦笑道："这小鬼一开口就好像要找人打架似的，也不知是谁得罪了他。"

华华凤也忍不住笑道："这种人倒也算少见得很。"

段玉眨了眨眼，道："但我却见过一个。"

华华凤道："谁？"

段玉不说话了，只笑。

华华凤瞪着他，咬着嘴唇道："你假如敢说是我，我就真的毒死你。"

然后她自己也笑了。

他们虽然初相识，但现在却已忽然觉得像是多年的朋友。

这时，那小癞痢总算已将五筒酒送来，"砰"地，放在酒缸上，又扭头就走。

酒缸上本就有几只空碗。

段玉倒了两碗酒，刚想端起来喝。

华华凤忽然按住他的手，道："等一等。"

段玉道："还等什么？"

华华凤道："我当然并不想真的毒死你，但别人呢？"

段玉笑道："那小鬼虽然看我不顺眼，总算不至于想要我的命。"

华华凤却没有笑，板着脸道："你难道忘了到这里来是找谁的？"

段玉道："我还没喝醉。"

华华凤道："你若真的有杀身祸，一个卖酒的假道士怎么能救你？"

段玉道："也许他只不过是借酒来掩饰自己的身份而已。"

华华凤道："所以他就很可能是个隐姓埋名的武林高手。"

段玉道："不错。"

华华凤道："所以他的武功可能很高。"

段玉道："不错。"

华华凤道："他是不是也很可能会下毒呢？"

那船家既然淹不死段玉，就要他的同谋来将段玉毒死。

这当然也很有可能，看来华华凤不但想得比段玉周到，而且对他真的很关心。

段玉想说的话并没有说出口，因为他忽然发现有个人正在看着他们。

无论谁看到这个人，都忍不住会多看几眼的。

这个人当然是个女人，当然是个很美丽的女人，不但美，而且风姿绰约，而且很会打扮。

会打扮的女人并不一定是浓妆艳抹的。

这女人一张白生生的清水鸭蛋脸，就完全不着脂粉。

可是她穿得却很考究，一件紧身的墨绿衫子，配着条曳地的百褶湘裙，不但质料高贵，手工精致，颜色也配得很好。

穿衣服也是种学问，要懂得这种学问，并不是件容易事。

她看来显然已不再年轻，却更显得成熟艳丽。

这种年龄的女人，就像是一朵盛开的花，风韵最是撩人。

段玉看着她，眼睛里不觉露出了赞赏之色。

华华凤正在看着他，显然已从他的眼色中，发现他正在看着个女人。

所以她也回过了头。

她刚巧看见这女人的微笑。一种成熟而美丽的微笑。

唯有她这种年纪的女人，才懂得这么样笑。

华华凤的脸立刻板了起来，压低声音，道："这女人是谁？"

段玉道："不知道。"

华华凤道："你不认得她？"

段玉摇摇头。

华华凤道："既然不认得她，她为什么要看着你笑？"

段玉淡淡道："有人天生就喜欢笑的，那至少总比天生喜欢找麻烦的人好。”

华华凤瞪着眼道：“现在你是不是在找我的麻烦？”

段玉没有回答，因为那女人现在居然已向他们走了过来。

她走路的姿势也很美，微笑着走到他们面前，道：“两位好像是从远地来的？”

华华凤立刻抢着道：“这跟你有什么关系？”

妇人还是带着微笑，道：“没有关系。”

华华凤道：“既然没有关系，你问什么？”

妇人道：“只不过是随便问问而已。”

华华凤道：“有什么好问的？”

妇人道：“因为这地方来的一向是熟客，很少看见两位这样的生人。”

华华凤道：“这地方来的什么客人，跟你又什么关系？”

妇人笑道：“这就有一点关系了。”

华华凤道：“哦。”

妇人嫣然道：“所以我说姑娘一定是远地来的，否则又怎么会不知道我是谁呢？”

原来她也已看出华华凤是女扮男装的。

华华凤更生气了，冷笑道：“你这人难道有什么特别？”

妇人道：“说起来倒真有点特别。”

华华凤道：“哪点特别？”

妇人笑道：“并不是每个女人都能嫁给道士的，你说是不是？”

华华凤愕然道：“你说什么？”

妇人道：“外子就是这里的顾道人，所以这里有很多人都在背地叫我女道士，他们还很怕我知道，其实我倒很喜欢这名字。”她微笑着，接着道，“我若不喜欢道士，又怎会嫁给道士呢？”

华华凤这次终于没话可说，无论如何，能嫁给道士的女人实在不多。

段玉却笑了。

他忽然发觉这位女道士不但美，而且非常之有趣。

看到他脸上的表情，华华凤的火气更大，忽然端起面前的一碗酒，一口气喝了下去。

女道士道："姑娘也喝酒？"

华华凤道："我难道不能喝？"

女道士笑道："我只不过觉得奇怪，姑娘为什么忽然又不怕酒里有毒了？"

原来她不但眼睛尖，耳朵也很长。

华华凤的脸已有些发青了。

幸好女道士已改变话题，道："你两位这样的人，到这里来，当然不会是来喝酒的。"

段玉微笑道："在下的确想来拜访顾道人。"

女道士道："你认得他？"

段玉道："还未识荆。"

女道士道："那么，是不是有人叫你来的？"

段玉道："不错。"

女道士道："是谁叫你来的？"

段玉道："那位仁兄我也不认得。"

女道士仿佛也觉得这件事有点意思了，眨着眼道："他是个什么样的人？"

段玉道："是位摇船的大哥。"

女道士道："摇船的？"

段玉道："也许他本来并不是，只不过我看见他的时候，他是在摇船。”他笑了笑，接着道，“无论谁要打扮成船家，都不太困难的。”

女道士道：“他长得是什么样子？”

段玉道：“黑黑的脸，年纪并不太大，眼睛发亮，水性也很高。”他苦笑接着道，“我若到了水里，现在说不定已被他淹死。”

女道士忽然叹了口气，道：“我就知道一定又是他。”

段玉道：“他究竟是什么人？”

女道士笑道：“这人姓乔，天下只怕再也没有人比他更喜欢多管闲事的。”

段玉笑道：“我同意。”

女道士看着他，看了很久，才问道：“真是他叫你到这里来的？”

段玉道：“嗯。”

女道士道：“你杀了人？”

段玉又忍不住笑了，这笑，就等于是否认，无论谁杀了人后，都绝不会像他笑得这么纯真。

女道士嫣然道：“我看你的样子也不像杀过人的。”她好像松了口气，但很快又接着问道，“你最近做了件大案？”

段玉摇摇头，笑道：“我看来像强盗？”

女道士道：“是不是有仇家追捕你？”

段玉道：“没有。”

女道士道：“你身上是不是带着红货，有人在打你的主意？”

段玉道：“红货？”

女道士解释道：“红货的意思就是很值钱的珠宝了。”

段玉道：“也没有。”

女道士皱了皱眉，道：“那么你究竟惹了什么麻烦呢？”

段玉道：“麻烦倒好像有一点。”

女道士道：“恐怕还不止一点，否则乔老三就不会叫你来的。”

段玉道："我只不过打了几个人而已。"

女道士道："你打的是什么人？"

段玉道："是几个和尚。"

女道士道："和尚？什么样的和尚？"

段玉道："几个很凶的和尚，说话好像不是这里的口音。"

女道士道："是不是会武功的和尚？"

段玉点了点头，道："他们使的好像是少林拳。"

女道士又皱起了眉，道："你出门的时候，难道没有人告诉你，在江湖中行走最好不要和僧道乞丐结怨。"

段玉苦笑道："有人告诉过我，只可惜那时我忽然忘了。"

女道士轻轻叹了口气，道："原来你也是个很冲动的人。"

段玉道："可是我出手并不重，绝没有打伤他们，只不过将他们打下水了而已。"

女道士道："为了什么呢？"

段玉道："我看不惯他们欺负人。"

女道士道："他们欺负了谁了？"

段玉道："是个……是个女人。"

女道士笑道："我也想到一定是个女人……是不是长得很美？"

段玉的脸有点红了，讷讷道："长得倒还不难看。"

女道士道："叫什么名字？"

段玉道："她自己说她叫花夜来。"

女道士第三次皱起了眉，皱得很紧，过了很久，才问道："你以前不认得她？"

段玉道："连见都没有见过。"

女道士道："你只看见那几个和尚在欺负她，连话都没有问清楚，就把他们打下了水？"

段玉道："他们也根本没有让我说话。"

女道士道："然后呢？"

段玉红着脸，答道："然后她就一定要请我喝酒。"

女道士的眼睛盯在他脸上，道："你是不是喝了很多？"

段玉道："不太少。"

女道士道："然后呢？"

段玉道："然后……然后我就走了。"

女道士道："就这么简单？"

段玉道："嗯。"

女道士道："难道你没有吃什么亏？"

段玉笑道："那倒没有。"

女道士展颜道："看来你若不是很聪明，就一定是运气很不错。"

段玉忍不住问道："她究竟是个怎么样的人？是不是常常要人家吃亏？"

女道士叹了口气，道："你难道真不知道，她就是长江以南最有名的独行女盗？"

段玉怔住。

女道士又道："你跟她分手之后，就遇见了乔老三？"

段玉点点头，道："那时天刚亮。"

女道士道："那时你还不知道他是个什么样的人？"

段玉苦笑道："我只知道他不但要我将身上所有的东西都拿出来，而且还要请我下湖洗澡。"

女道士道："那时你在他的船上？"

段玉叹道："现在那条船已沉了。"

女道士失笑道："但你却一点也看不出像下过水的样子。"

段玉道："船沉了下去，我并没有沉下去。"他忍不住笑了笑，接着道，“也许这只因为我运气真的不错。”

女道士却叹了口气，道：“也许这只因为你运气不好。”

段玉怔了怔，道：“为什么？”

女道士道：“你若真的被他请到水里去泡一泡，以后的麻烦也许就会小些了。”

段玉道：“我不懂。”

女道士道：“你也没听说过‘僧王’铁水这个人？”

段玉道：“没有。”

女道士道：“这个人本是少林门下，却受不惯少林寺的戒律束缚，最近也不知为了什么，竟一怒脱离了少林派，自封为僧王，少林寺竟对他无可奈何，从这一点你就可想象到他是个怎么样的人了。”

段玉动容道：“看来这人不但是个怪物，而且胆子也不小。”

女道士道：“他这个人也跟他的名字一样，有时刚烈暴躁，有时却很讲理，谁也摸不透他的脾气。”

段玉道：“他竟敢公然反抗少林派，武功当然也很高。”

女道士道：“据说他武功已可算是少林门下的第一高手，就因为脾气太坏，所以在少林寺中的地位一直很低。”

段玉道：“想必也就是因为这缘故，他才会脱离少林的。”

女道士道：“其实他也不能算是个坏人，只不过非常狂傲刚愎，不讲理的时候比讲理时多得多，无论谁得罪了他，都休想有好日子过。”她叹了口气，接着道，“他到江南来才不过两三个月，却已经有七八个很有名望的武林高手，伤在他的手下，据说他只要一出手，对方就算不死，至少也得断条腿，芜湖大豪方刚只被他打了一拳，竟吐血吐了两个月，最后死在床上。”

段玉道：“你说的方刚，是不是那位练过金钟罩、铁布衫的前辈？”

女道士叹道："不错，连练过金钟罩的人，都受不了他一拳，何况别的人呢！"

段玉沉吟着，道："我打的那四个和尚，莫非就是他的门下？"

女道士点点头道："他脱离少林寺后，就广收门徒，无论谁想要投入他的门下，都得先剃光头做和尚，但只要一入了他门，就再也不怕人欺负，所以现在他的徒弟，只怕已比少林寺还多。"她又叹口气道，"你想想，你得罪了这么样一个人，你的麻烦是不是很大？"

段玉不说话。

女道士又道："何况这件事错的并不是他，是你。"

段玉道："是我？"

女道士道："江南武林中，吃过花夜来大亏的人，也不知有多少，铁水就算杀了她，也是天经地义的事，你却为了这种人去打抱不平，岂非自寻烦恼？"

段玉苦笑道："看来我想不认错也不行了。"

女道士道："现在铁水想必已认定了你是花夜来的同党，所以一定不会放过你。"

段玉道："我可以解释。"

女道士道："你难道已忘了，他通常都是个很不讲理的人。"

段玉苦笑道："所以我除了被他打死之外，已没有别的路可走了。"

女道士道："也许你还有一条路可走。"

段玉道："哪条路？"

女道士伸出青葱般的纤纤玉手，向前一指。

她指着一扇门。

这扇门就在那阴暗狭窄的酒店里，上面摆着花生、豆干的柜台后。

门上挂着油腻的蓝布门帘，上面也同样有三个大字："顾道人。"

段玉道："道人还在高卧？"

女道士道："他从昨天一直赌到现在，根本还没有睡。"

段玉笑道："道人的豪兴倒不浅。"

女道士嫣然道："他虽然是个赌鬼，又是个酒鬼，但无论什么样的麻烦，他倒是总能够想得出一些稀奇古怪的法子来解决，乔老三并没有叫你找错人。"

段玉道："我现在可以进去找他？"

女道士笑道："乔老三的朋友，就是我们的朋友，你随时都可进去，只不过……"她叹了口气，脸上露出无可奈何的表情，接着道，"这赌鬼赌起来的时候，就算天塌下来，他也不会抬起头看一眼的。"

段玉笑道："我可以在旁边等，看人赌钱也是件很有趣的事。"

女道士看着他，又笑道："你好像对什么事都很有兴趣。"

段玉还没有开口，华华凤突然冷冷道："这句话倒说得不错，别人就算把他卖了，他还是会觉得很有趣。"

她一直坐在旁边听着，好像一直都在生气。

段玉笑道："你放心，就算有人要卖我，只怕也没有人肯买。"

华华凤冷笑道："这句话也没有说错，又有谁肯买个呆子呢？"

段玉道："我真的像是个呆子？"

华华凤道："你真要进去？"

段玉答道："我本来就是为了拜访顾道人而来的。"

华华凤问道："别人无论说什么，你全都相信。"

段玉叹了口气，道："你若不相信别人，别人又怎么会相信你？"

华华凤突然站起来，板着脸道："好，你要去就去吧。"

段玉道："你呢？"

华华凤冷笑道："我既没有兴趣去看别人赌钱，也不想陪个呆子去送死，我还有我的事。"

她再也不看段玉一眼，扭头就走。

段玉居然就看着她走，她居然就真的走了。

女道士眨着眼，道：“你不去拉住她？”

段玉叹了口气，道：“一个女人若真的要走时，谁也拉不住的。”

女道士道：“也许她并不是真的要走呢？”

段玉淡淡道：“若不是真的要走，我又何必去拉她。”

女道士又笑了，道：“你这人真的很有趣，有时连我都觉得你有点傻气，但有时却又觉得你说的话很有道理。”

段玉苦笑说道：“现在我只希望我真的很有运气。”

女道士忽然正色道：“但我还是要劝你一件事。”

段玉道：“我在听。”

女道士道：“你进去了之后，千万不要跟他们赌钱，否则也许真的会连人都输掉的。”

段玉当然不会去赌的，这本就也正是他父亲给他的教训。

“十赌九骗，江湖郎中骗子到处都是，愈以为自己赌得精明的人，输得愈凶，还没有摸清别人底细之前，你千万不能去赌，千万不能。”

段玉本就不是那种见了赌就不要命的人，他怎么会去赌！

02

后面的一间屋子，堆满了酒缸和酒坛，一个叠着一个，堆得高高的，中间只留下一条窄窄的弄堂。

从弄堂穿过去，又是一道门，在门外就可以听见里面掷骰子的声音。

只有掷骰子的声音，里面的人赌得居然很安静。

有四个人在赌，一个人在看。四个人都坐在酒坛子上，围着个大酒缸，酒缸上也铺着木板。

他们赌的是牌九，推庄的是个独臂道人，穿着件已洗得发白的蓝布道袍，颧骨很高，一双眼睛炯炯有神，用一只手叠牌比别人两只手还快。

段玉知道他一定就是这地方的老板顾道人了。

另外的三个人，一个是瘦小枯干，满脸精悍之色的老人，一双指甲留得很长的手上，戴着个拇指般大的碧玉扳指。

他押的是天门。

上家是个面有病容的中年人，不时用手里一块雪白的丝巾捂着嘴，轻轻咳嗽。丝巾用过两次就不要，旁边看牌的那人立刻送一条全新的给他换。看来这人不但用的东西很讲究，而且还特别喜欢干净。

可是这地方却脏得很，他坐在这里赌钱，居然已赌了一天一夜。

好赌的人，只要有得赌，就算坐在路边，也一样赌得很起劲。

下家的一个人身材高大，满脸大胡子，顾盼之间，凛凛有威，一双手却粗得很，五根手指竟几乎一样长短，显然练过铁砂掌一类的功夫，而且练得还很不错。

这三人的衣着都非常华丽，气派看来也很不小，显见得都是很有身份、很有地位的人。

但他们赌的，却只不过是几十个用硬纸板剪成的筹码。筹码上也同样的有“顾道人”三个字，写得龙飞凤舞，仿佛是顾道人的亲笔花押。好赌的人，只要有得赌，输赢大小，他们也不在乎的。所以四个人全都赌得聚精会神，四个人的脸色全都已发白，竟没有一个开口说话的。

那练过铁砂掌的大汉刚赢了四个筹码，额上已开始冒汗，一双连杀人时都不会发抖的手，此刻竟似乎微微颤抖起来。咬了咬牙，终于又推了四个筹码出去。满面病容的中年人沉吟着，也押了四个筹码上去。

现在只剩下天门还没有押了。

那精瘦的华服老人却在慢吞吞地数着筹码，忽然长长吐了口气，道："今天我没有输赢。"

虬髯大汉立刻轩眉道："现在谈什么输赢？芝翁莫非想收手了？"

老人点了点头，慢吞吞地站了起来，皮笑肉不笑地歪了歪嘴，道："你们三位还可以多玩玩，我还有事，要告辞了。"

虬髯大汉变色道："只剩下三个人，还玩什么？芝翁难道就不能多留一下子？"

那老人却已挑起帘子，头也不回地走了出去。

虬髯大汉咬着牙，恨恨道："这老狐狸，简直赌得比鬼还精——好，我们就三个人押下去。"

满面病容的中年人也在数着面前的筹码，轻轻咳嗽着，道："只剩下三个人怎么押，我看今天不如还是收了吧！"

虬髯大汉着急道："现在就收怎么行，我已输了十几文钱了。"

原来一个筹码竟只不过是一文钱。

这虬髯大汉想必是天生一副争强好胜的脾气，不肯服输，否则又怎么会在乎这十几文钱了。

顾道人仿佛也意犹未尽，这才发现屋里多了一个人，抬起头来看了段玉两眼，微笑道："这位朋友想不想来凑一脚？"

段玉刚想说"不"，那虬髯大汉已抢着道："小玩玩，没关系的，赌过了我请你喝酒。"

他们的输赢实在不大。

段玉沉吟着，心道：既然有事来找人家，怎么好意思扫人家的兴，就算输一点又有什么关系。想到这里，段玉就笑了笑，道："好，我就来陪三位玩一会儿，只不过我不太会赌的。"

虬髯大汉立刻喜露颜色，笑道："还是这位朋友够意思。"

顾道人一双炯炯有光的眼睛也在打量着段玉，微笑道："听朋友说话的口音，好像是从北边来的？"

段玉道："不错，我是中原人。"

顾道人道："贵姓？"

段玉道："姓段，叫段玉。"

顾道人眼睛仿佛更亮了，笑道："段朋友就押天门如何？"

段玉道："行。"

天门上还有那老人留下来的一叠筹码，好像有四五十个。

顾道人道："我们这里都是赌完了才算账的，朋友你就算暂时身上不方便，也没关系。"

段玉笑道："我身上还带着些。"

那满面病容的中年人也一直在盯着他，忽然道："却不知朋友你赌多少？"

段玉将老人留下的那叠筹码点了点，道："暂时就赌这么多，输光了再说。"

虬髯大汉笑道："好，就要这么样赌才过瘾，我王飞今天交定你这个朋友了。"

那中年人面上也露出微笑，道："在下姓卢行九，朋友们都叫我卢九。"

段玉笑道："幸会得很。"

于是他也押了四个筹码上去。顾道人掷出的骰子是七点，天门拿第一副，是副梅花配三、六点。

庄家拿的却是副地杠。

段玉输了。

第二副庄家七点，天门又是六点。

段玉又输了。

第三副庄家烂污二，天门却是鳖十。

最后庄家打老虎，居然又命了副杂五对。

这一手牌，段玉已输了十六个筹码。

他当然面不改色。

这十六个筹码就算是一百六十两银子，段公子也一样输得起。

第二手牌段玉居然又连输四副。又是十六个筹码输了出去。

他当然还是面不改色。

卢九和王飞看着他，神色间却似已有些惊奇，还有些佩服。

王飞已扳回了一些。对这大方的少年显然已很有好感，竟忍不住道："老弟，你手风不顺，这两把还是少押些吧。"

段玉笑了笑，道："没关系。"

这次他竟押了八个筹码，他只想快点输光，快点散局，好跟顾道人谈正事。

输点钱他并不在乎，那"僧王"铁水他也未见得害怕。但他却实在不愿惹麻烦，更怕他父亲知道他在外面惹了麻烦。

这位顾道人若能将这件事大事化小，小事化无，能让他早点赶到宝珠山庄去，就算再多输点，他还是很愉快的。

谁知从第三手牌开始，他竟转运了。第一副牌他拿了个一点，庄家竟是鳖十。

于是八个筹牌就变成了十六个。

他就将十六个筹码全都押下去，这副牌他居然拿了对天牌。

他当然也很高兴，于是这一注他就押了三十二个筹码，只想一下子输光。

输赢一向不动声色的顾道人，这次脸上居然也仿佛有点动容了。

卢九和王飞神色间也显得更惊讶、更佩服。

王飞道："老弟，一下子何必押这么多呢，还是留着慢慢赌吧。"

段玉微笑道："没关系。"

王飞看着他，突然一挑大拇指，道："好，老弟，你真有种。"

段玉微笑着，觉得很有趣，甚至觉得有点滑稽。左右不过是三十二个破筹码而已，这些人为什么看得如此重？他满心无所谓根本不在乎。所以他又赢了，连赢了二把，三十二个筹码已变了一百二十八个。

顾道人吃两门，赔天门，额上已现出汗珠。

段玉微笑着，将一百二十八个筹码，全部押了上去。

顾道人动容道："你真押这么多？"

段玉微笑道："就这么多。"

顾道人看着卢九，又看着王飞，忽然把牌一推，叹道："好，我服了你。"

段玉很惊奇，道："你不推了？"

顾道人苦笑道："今天算我认输了。"

段玉看着卢九，又看着王飞，这次王飞居然也没有开口。

段玉微笑道："现在就收了也好，我请三位喝两杯。"

他随手拈起两个筹码，塞到旁边看牌的那小伙子手里，道："这个给你吃红。"

这小伙子的脸一下子变得苍白，吃吃道："这……这怎么敢当。"

段玉微笑道："没关系，你只管拿去，到外面喝酒，酒账也算我的。"

这小伙子手里拿着筹码，全身不停地发抖，突然跳起来，转身奔了出去，奔到门外才放声大笑起来，笑个不停。

卢九叹道："难怪赵瞎子算准了小潘今年要发财，这课算得果然神准。"

王飞用力一拍段玉的肩，道："老弟，你好大的手笔，我也服了你。"

段玉已经开始有些迷糊了，已隐隐发现，这一个筹码绝不止一文钱。

顾道人直到此刻，神色才恢复镇定，道："你先算算赢了多少？"

段玉道："不必算了。"除了本钱外，他将这八九十个筹码，全都推了过去，微笑道，"这些就算今天的酒钱，我请各位喝酒。"

顾道人脸上又变了颜色，也不知是惊是喜，过了半晌，才缓缓道："我不能收。"

段玉道："为什么？"

顾道人道："这太多了。"

段玉想了想，笑道："好，我就收十个回来，算红钱，其余的务必请你收下，否则就是看不起我，不愿交我这个朋友。"

顾道人看着他，又过了很久，才长长叹了口气，道："你以后一定会有很多朋友的……"

王飞也挑起大拇指赞道："老弟，像你这么样豪爽、慷慨的好朋友，我敢说江南还找不出第二个。"

卢九道："改天有空，务必要请到'赛云庄'来聊聊。"

段玉道："赛云庄？阁下莫非是人称'妙手维摩'的卢赛云卢老爷子？"

卢九微笑道："我看老弟你想必就是段飞熊段老爷子的大少爷。"

王飞一拍掌，道："对了，除了段家的公子，谁有这么大的出手。"

段玉已怔住了。

赛云庄主卢九爷世代巨商，他本就是江南的名公子，不但文武双全，而且琴棋书画，丝竹弹唱，样样皆通，样样皆精。但江湖中人都知道，他最精的还是赌。以他的身份地位，当然绝不赌几十文钱输赢的牌九，那么一个筹码究竟是多少呢？

顾道人道："剩下的这十个筹码，不知段公子是要兑什么呢？"

段玉道："随便。"

顾道人道："用赤金来兑行不行？"

段玉道："随便。"

他微笑着，勉强控制着自己，不要露出太吃惊的样子来。

顾道人已提起他坐着的那酒坛子，放到桌上，扳开了泥封，坛子里竟是满满一坛赤金锞子。

顾道人道："这里是赤金八百五十两，兑换成银，恰巧是十万两，就请段公子收下。"

段玉又怔住。

这一个筹码，竟是整整一万两银子。

他刚才随随便便的，将十来万两银子一下子押了下去。

段老爷子的家教一向很严，因为希望能将他的独生子训练成一个正直有用的人，并不想他儿子做一个挥金如土的风流公子。

所以段玉直到十二岁的时候，才开始有规定的零用钱，一开始是每个月一两银子，到十四岁时，才增加为二两，到十六岁时还是他母亲说情，才给他十两。

这情形一直继续到他十八岁，这次他出门时，段老爷子虽然给了他十张一百两的崭新银票，却还是再三叮咛他，要他不可花光。

这一千两银票，也正是段玉这一生中所拥有的最大财富。

他花得虽然不寒酸，却很小心，至于他母亲私下给他应急的那些金叶子，他根本就不准备动用的。

他觉得一个人若要花钱，就该花自己凭劳力赚来的。

他一向很看不起那些将上一代的金钱随意挥霍的败家子。

事实上，他根本就从未挥霍浪费过一两银子。

但刚才他随随便便就给了那年轻的小厮两千，又送给顾道人六十万。

段玉深深地吸了口气，慢慢地坐下来，看着面前满满一坛金子。他这一生中，从未有过这么多钱。现在有这十万两银子，他已可做很多以前想做而做不到的事了。

醇酒、美人，他要什么就可以有什么，至少他不必再拼命约束自己，至少可以先去狂欢几天，享受一下他从未享受过的欢乐。对一个刚出家门的年轻人来说，这的确是不可抗拒的诱惑。就算对一个老头子来说，这又何尝不是种很大的诱惑？

顾道人凝视着他，微笑道："腰缠十万两，骑鹤下扬州，有了这么多钱，无论在什么地方，都可以痛痛快快地花一阵子了。"

王飞笑道："何况这些钱本就是赢来的，花光了也无妨。"

顾道人道："其实杭州也有很多有趣的地方，杭州的美人一向是名闻天下的，段公子年少多金，到了这里正该去享受温柔的滋味。"

段玉沉吟着，忽然道："这十万两银子我也不能收。"

顾道人皱眉道："为什么？"

段玉叹了口气，苦笑道："我根本就不知道这筹码是一千两银子一个的。"他不让别人开口，很快地接着又道，"若是知道，我根本就不会赌，因为我若输了，也根本拿不出这么多银子来。"

顾道人道："但你现在并没有输。"

段玉道："既然输不起，赢了就不能拿。"

顾道人道："你若不说，也没有人知道你输不起。"

段玉道："可是我自己知道，我可以骗别人，但没有法子骗自己，所以我若拿了这些银子，晚上一定会睡不着觉。"

顾道人笑了。

他微笑着看了看王飞，又看了看卢九，道："你们看过这么笨的年轻人没有？"

卢九摇了摇头："没有。"

王飞叹了口气，道："这年头的年轻人，的确已一个比一个聪明了。"

段玉红着脸，道："我也许并不聪明，但却还知道什么东西是该拿的，什么是不该拿的。"

王飞又看了看段玉和卢九，道："这些银子是不是偷来的？"

卢九道："不是。"

王飞笑道："江湖中都知道，顾老道也许有点来历不明，但却绝不是强盗小偷。"

顾道人道："我们赌得有没有假？"

王飞道："无论谁都知道，这里赌得最硬了，否则杭州城里到处都可以赌，我们为什么偏偏喜欢到这破地方来。"

顾道人这才回过头，瞪着段玉，道："这银子既不是偷来的，赌得又不假，你既然赢了，为什么不能拿走？"

段玉急得脸更红，吃吃道："我……我……"

顾道人道："你输了也许拿不出，但你又没有输，因为你的运气好，所以你就应该赢别人的钱，就应该比别人过得舒服。"

王飞笑道："一点也不错，运气好的人，走在路上都会踢着大元宝。"

段玉微笑道："世上的确再也没有什么比这种运气更好的事了。"

王飞接着道："世上有这种好运气的人也并不多。"

顾道人道："何况你不但运气很好，而且很诚实，老天对你这种人，本就是特别照顾的，也许这些银子本就该你所有，你若不拿走，我们都要倒霉的。"

段玉道："可是我……"

顾道人打断了他的话，沉下脸道："你若再推诿客气，就表示你不愿交我们这些朋友了。"

段玉迟疑着，终于叹了口气，道："既然如此，我就收下。"他红着脸苦笑道，"老实说，我也并不是真不想要，只不过我这一辈子从未有过这么多银子，我真不知道应该怎么花才好。"

顾道人笑了，道："这点你倒不必着急，我保证你以后一定能学会的。"

王飞也笑了道："一个男人可以不随便花钱，但却绝不能不懂得花钱。"

顾道人笑道："不懂得花钱的男人，一定是个没用的男人。"

王飞道："因为你一定要先懂得花，才会懂得怎么去赚。"

段玉也笑了，道："我保证以后一定会用心去学的。"

王飞道："我也可以保证，学起这种事来，不但比学别的事快得多，也愉快得多。"

段玉道："我相信。"

卢九一直在仔细观察着他，忽然问道："你本不是来赌钱的？"

段玉道："不是。"

卢九道："那么，你是不是有了麻烦？"

段玉怔了怔，道："前辈怎么知道？"

卢九微笑道："若不是有了麻烦，谁会来找这邋遢道人？"

王飞抢着道："现在我们既然已经是朋友，无论你有什么麻烦都可以说出来。"

顾道人笑说道："你也许还不知道这个人的来头。"

段玉道："请教。"

顾道人接着道："说起来这人的来头倒真不小，江南有个以火器名震江南的霹雳堂，你总该知道。”

段玉道：“久闻大名了。”

顾道人道：“他就是霹雳堂现任的堂主，江湖人称霹雳火。”

王飞拍着胸，道：“所以，你的麻烦若连我们三个人都没法替你解决，江南只怕就没有人能替你解决了。”

段玉叹了口气，道：“其实，我只不过在无意中得罪了一个人。”

王飞道：“得罪了谁？”

段玉道：“听说他叫作‘僧王’铁水。”

王飞皱眉道：“你怎么得罪他的？”

段玉的脸红了红，道：“也是为了一个人。”

王飞道：“为了谁？”

段玉道：“听说她叫作花夜来。”

王飞道：“是不是那女贼花夜来？”

段玉道：“大概是的。”

王飞立刻沉下了脸，道：“她跟你有什么关系？是你的什么人？”

段玉苦笑道：“我根本不认得她。”

王飞道：“但你却不惜为了她而得罪了僧王铁水。”

段玉叹道：“我根本也不知道那四个和尚是他的徒弟。”

王飞道：“四个和尚？”

段玉道：“也不知为了什么，铁水要他门下的四个和尚去找花夜来，当时我既不知道他们的来历，也不知道花夜来是女贼，只觉得这四个和尚凶得很。”

王飞道：“所以你不分青红皂白，就去打抱不平了。”

段玉红着脸，道：“我的确太鲁莽了些，但那四个和尚也实在太凶。”

顾道人叹了口气，道：“铁水本就是个蛮不讲理的人，他手下的徒弟当然也跟他差不多，但是你……你什么事不好做，为什么偏偏要去管花夜来的闲事？”

卢九一直很注意听着，此刻忽然道：“你可知道铁水是为了什么去找花夜来的？”

段玉摇了摇头。

卢九换了条新丝巾，轻轻咳嗽了几声，才缓缓道：“他是为了我。”

段玉又怔住。

卢九道：“我有个儿子，叫卢小云。”

段玉道：“我听说过。”

卢九道：“哦，你一向在中原，怎么会听说过他？”

段玉讷讷地道：“因为家父告诉过我，说我一定会在宝珠山庄里遇见他，还叫我在他面前问候你老人家。”

他并没有说谎，却也没有完全说实话。

其实段老爷子是叫他特别提防卢小云，因为到宝珠山庄去求亲的少年人中，只有两三个是他的劲敌，卢小云就是其中之一。

卢九却完全相信了他的话，慢慢地点了点头，道：“不错，这次我就是要他到宝珠山庄去拜寿的，你想必也是为了这缘故，才到江南来？”

段玉道：“是。”

卢九道：“但他到了杭州之后，却突然间失踪了。”

段玉诧道：“失踪了，前辈怎么知道他失踪了呢？”

卢九道：“这次本是我陪他一起来的，因为我要来会铁水，可是四天之前，这孩子出门之后，就没有再回去过。”他又咳嗽了几声，才接着道，“就在那天，有人看到他跟花夜来那女贼在一起。”

段玉道：“铁水叫人去找花夜来，为的就是要追问令郎的下落？”

卢九道："不错。"

段玉说不出话来。

卢九忽又问道："你可知道我为什么要到这里来找顾道人？"

段玉道："不是为了赌钱？"

卢九道："除了赌钱外，还有一个更大的原因。"

段玉道："什么原因？"

卢九道："为了找你。"

段玉又一次怔住。

卢九道："昨天我听说有个不明来历的少年人，帮着花夜来，将铁水的四个和尚全都打下了水，然后这少年就跟花夜来一起走了，下落不明。"

顾道人道："所以你就来找我打听这少年的行踪来历？"

卢九道："这一带地面上的事，还有谁比你更清楚的。"

顾道人道："但你为什么一直没有开口呢？"

卢九笑了笑，道："无论谁都知道，要来求你的人，好歹都得先陪你赌个痛快。"

顾道人也笑了，道："想不到我这赌鬼的名声，竟已传到赛云庄了。"

卢九凝视着段玉，轻轻地咳嗽着，道："你刚才若没有跟我们赌钱，现在我只怕早已对你出手了，就因为赌钱时最容易看出一个人的人品，所以，我才相信你是个很诚实的年轻人，所以我才相信你绝不会说谎。"

段玉苦笑道："想不到赌钱也有好处的。"他沉吟着，忽然又问道，"令郎是在四天之前就已失踪了的？"

卢九道："不错。"

段玉道："这四天来，前辈一直没有找到花夜来？"

卢九冷冷道："她行踪本就一向很飘忽，否则又怎能活到现在。"

段玉道："但昨天她却忽然出现了。"

卢九道："就连我都从未想到，这女贼居然也敢去游湖。"

段玉叹道："昨天我刚来，她就出现了，这倒实在巧得很。"

顾道人也叹了口气，道："天下凑巧的事本就很多。"

王飞道："也许这就叫无巧不成书。"

段玉道："直到现在为止，卢公子还是连一点消息都没有？"

卢九默然道："完全没有。"

段玉道："所以这件事还是没有解决。"

卢九沉吟着，道："但我却可替你去向铁水解释，因为我信任你，铁水却信任我。"他笑了笑，接着道，"这人在世上假如还有一个朋友，恐怕就是我了。"

段玉苦笑道："只不过，这件事既然因我而起，我总也不能置身事外的。"

王飞立刻道："不错，你至少应该替卢九爷找出花夜来女贼来。"

段玉垂首道："昨天晚上，我的确是跟她在一起的。"

王飞道："在什么地方？"

段玉道："在湖畔一栋小房子里。"

王飞道："现在你还能不能找到那地方？"

段玉道："我可以去试试看。"

王飞跳起来，道："我们现在就去。"

段玉忽又抬起头，道："不知道这些东西是不是卢大哥身上带着的？"

他说话的时候，已取出了那串珍珠和玉牌。

卢九动容道："这是哪里来的？"

段玉道："在一个花盆里。"

卢九皱眉道："在花盆里？"

段玉红着脸，吞吞吐吐的，终于还是将昨夜的事全都说了出来。

卢九每个字都听得很仔细，听完了长长叹了口气，忽然拍了拍段玉的肩，道："你的确是个好孩子，不但敢说实话，而且勇于认错，我在你这种年纪时，就未必敢将这种事说出来。"他叹息着，又道，"现在我就算找到犬子，也不会再叫他到宝珠山庄去了。"

段玉忍不住问道："为什么？"

卢九道："因为他实在不如你，我若是朱二爷，也一定要把女儿嫁给你。"

03

这一带虽较荒僻，却更幽静，湖滨零星的建筑有一些很精致的小房子，绿瓦红墙，带着小小的庭园，远远看过去就像是图画一样。

走过柳荫时，段玉忍不住道："我就是在这里遇见乔三爷的。"

王飞道："你见过乔三？"

段玉道："若不是他的指点，我又怎么会找到顾道人那里去？"

顾道人道："想不到他居然对你不错，这人脾气一向很古怪的。"

段玉苦笑道："这点我倒也同意，本来他几乎要把我淹死的。"

顾道人笑道："那也许只因为他知道铁水大师的脾气，先让你吃些苦头后，铁水大师看到你也跟他徒弟一样下过水，火气也许就会少些了。"

段玉道："但他又怎么会知道这件事的呢？"

顾道人微笑道："这一带湖面上的事，他不知道的还很少。"

王飞也笑道："难道你从未听说过，西湖也有两条龙，一条是这老道，一条就是乔三。”

顾道人大笑道：“龙是不敢当的，只不过是两条地头蛇而已。”

卢九用丝巾掩着嘴，轻轻咳嗽着，道：“你从那房子出来后，就遇见了乔三？”

段玉道：“我还是走了一段路。”

卢九道：“走了多久？”

段玉沉吟着，道：“不太久，我出来的时候，天已亮了，走到这里，太阳还没有升起。”

卢九道：“你走得快不快？”

段玉道：“也不快，那时……那时我正想着心事。”

卢九道：“这么样说来，那屋子离这里一定并不太远。”

段玉道：“好像是不太远。”

卢九道：“现在你不妨再想想心事，用早上那种速度，再沿着这条路走回去。”

段玉点点头，他忽然发现这种老江湖做事，的确有些是他比不上的地方。

于是他就又开始想心事了。

想什么呢？

他想得很多，想得很乱，后来竟不知不觉忽然想起了华华凤。

这大眼睛的小姑娘现在到哪里去了？

她在这件事里，究竟是个什么样的角色呢？

仔细想起来，她出现得很巧，好像一直在跟着段玉似的。

难道她也有什么目的？

但无论如何，她对段玉总算还不错，她甚至已经会为段玉吃醋了。

一个女人若已开始为男人吃醋，那就表示她对这男人至少并不讨厌。

想到这里，段玉嘴角不禁露出了微笑。

也就在这时，他看见了那道墙头上还种着花草的矮墙。

墙头上种着含羞草和蔷薇，沿着墙脚走过去，就可以看到一扇朱红的窄门，这当然是后门。

段玉也记不清是不是从这扇门走进去的，但却记得的确是从这道墙上跳出来的，他的赤脚还仿佛碰到了蔷薇的刺。

他在门外停下脚步，观望着。他并没有十分的把握。

那时他走得很匆忙，也没有再回到这里来的意思。

只不过在墙头上还种着花草的人家并不多，这点他至少还很有把握。

卢九道："就在这里？"

段玉沉吟着，道："大概是的。"

卢九看着他，苍白的脸上忽然露出种很奇怪的表情。

段玉并没有注意到他的表情，迟疑了片刻，终于举手拍门。

无论如何，光天化日之下，他总不能就这样闯入别人家里去。

他也没有想到，里面居然很快就有人来开门了。

开门的是个豆蔻年华的垂髫少女，穿着身月白轻衫，长得很美，笑得也很甜。

杭州果然是个出美人的地方。

段玉正迟疑着，不知道该怎么说，谁知这少女既没有问他是谁，也没有问他是来找谁的。

她根本什么话都没有问，只抬起头来嫣然一笑，就又转身走了进去。

这少女莫非就是花夜来的贴身丫鬟，莫非认得段玉？

但段玉却已记不得自己是不是见过她了，只好跟着她走进去。

门里面是个小小的花园，有条铺着青石板的小路。

段玉记得今天早上正是从这条小路走出来的，那时路上还有很冷的露水。现在他就算还没有十分的把握，至少已经有八九分了。现在他只希望花夜来还留在这里，等着他将东西送回来，这并不是没有可能。

花夜来一直将他当作个老实人，老实人当然绝不会占了别人这种便宜，就一去不回的。

那少女的身形已消失在花丛中。

月季花和红蔷薇都开得正艳。

暮春午后的阳光，正懒洋洋地照在花上。这种天气，谁愿意关在屋子里？花夜来莫非正在园中赏花？

段玉走过去，怔住。

他没有看见花夜来，却看见了和尚！

04

花丛间绿草如茵，一个光头和尚，正大马金刀地趺坐在一个圆桌般大的蒲团上。

他颧骨高耸，狮鼻海口，顾盼之间，凛凛有威，眉目间不怒时也带着三分的杀气，身上只披着件黑丝宽袍，敞开衣襟，赤着足，手里的金杯在太阳下闪闪地发着光。满园的春色都似已映在金杯上。

一个比开门的少女更美的女孩子，正跪在蒲团前，为他修剪着脚上的趾甲。

这少女竟是完全赤裸着的。在阳光下看来，她的皮肤比缎子还光滑，胸膛圆润坚挺，一双手柔美如春葱。这满园的春花，也比不上她一个人的颜色。

有人来了，她只抬起头来轻轻一瞥，就又垂下头，专心为她的主人修脚，脸上既没有羞涩之意，也并没有惊慌。

除了她的主人之外，别的人在她眼中，完全就像是死人一样。

段玉的脸色已红了，也不知是该进的好，还是该退的好。

黑衫僧却已仰面而笑，大笑道：“老九，你来得正巧，我刚开了坛波斯来的葡萄酒，已经用井水镇得凉凉的，过来喝一杯如何？”

除了卢九外，别的人在他眼里，也完全和死人差不多。

卢九居然微笑着走过去，对这种情况，竟似也见惯了。

段玉、王飞、顾道人，三个人怔在那里，真有点哭笑不得。

顾道人叹了口气，悄悄道：“你说这里就是花夜来的居处？”

段玉苦笑着，点了点头。

顾道人道：“那么这僧王铁水却又是从哪里来的？”

第三章

血　酒

01

墙头上的蔷薇和含羞草，在微风中轻轻摇晃着，青石板铺成的小路，蜿蜒通向花荫后的红砖小屋。

窗子是开着的，竹帘半卷，依稀还可以看到高台上摆着几盆花。

段玉记得很清楚，这里的确就是昨夜花夜来带他来的地方。

但他却实在不知道花夜来到哪里去了，更不知道这黑衫僧是哪里来的。

今天在这里的人，昨夜他连一个都没有见过。

那白衣垂髫的少女，刚才当然也不是对他笑，她认得的显然是卢九。

卢九仿佛也曾经到这地方来过。

这里究竟是什么地方呢?

本来很简单的一件事，现在却好像愈变愈复杂了。

黑衫僧只叫人倒了一杯酒给卢九，道："酒如何？"

卢九尝了一口，赞道："好酒。"

黑衫僧道："中土的酒，多以米麦高粱酿造，这酒却是葡萄酿的，久藏不败，甜而不腻，比起女儿红来，仿佛还胜一筹。"

卢九又尝了一口，笑道："不错，喝起来果然另有一种滋味。"

黑衫僧道："这酒入口虽易，后劲却足，而且很补元气，你近来身子虚弱，多喝两杯，反而有些好处的。"

他居然和卢九品起酒来，而且居然还是个专家，谈得头头是道。

不只他完全没有将段玉这些人看在眼里，卢九竟似也将他们忘了。

顾道人忍不住叹了口气，道："贫道也是个酒鬼，主人有如此美酒，为何不见赐一杯？"

黑衫僧这才转过头瞪了他一眼，沉着脸道："你是谁？"

顾道人道："贫道顾长青。"

黑衫僧道："你莫非就是那嗜赌如命、好酒如渴的顾道人？"

顾道人道："正是贫道。"

黑衫僧突然仰面大笑，道："好，你既然是顾道人，就给你喝一杯。"

他挥了挥手，那轻衣垂髫的少女，就捧了杯酒过来。

顾道人一只手接过，一口气喝了下去，失声道："好酒。"

黑衫僧却又沉下了脸，冷冷道："虽然是好酒，你却只配喝一杯。"

顾道人也不生气，微笑道："一杯就已足够，多谢。"

王飞脸上颜色早已变了，突然大声道："这酒我难道就不配喝？"

黑衫僧道："你是谁？"

王飞道："江南霹雳堂的王飞。"

黑衫僧道："你知道我是谁？"

王飞冷笑道："最多也不过是僧王铁水而已，就算你杀了我，我也要喝这杯酒的。"

黑衫僧突又大笑，道："好，就凭你这句话，也只配喝一杯。"

他果然就是僧王铁水，除了铁水外，世上哪里还有这样的和尚？

那轻衣垂髫的少女，立刻也捧了杯酒过来。

王飞一仰脖子就喝了下去，冷笑道："原来这酒也没什么了不起，简直就像是糖水，喝一杯就已足够了！"

铁水仰面大笑道："好，凭你这句话，还可以再喝一杯。"

王飞怔了怔，也大笑道："既然如此，就算是糖水，我也喝了。"

顾道人叹了口气，喃喃道："想不到你骗酒喝的本事比我还大。"

卢九忽然道："既然如此，这位段公子就当喝三杯。"

铁水道："他凭什么？"

卢九道："你不知他是谁？"

铁水道："他是谁？"

卢九道："他就是中原大侠段飞熊的大公子，姓段名玉。"

铁水冷冷道："这不够。"

卢九道："他也就是昨天在画舫上，将你四个徒弟打下水的人。"

铁水的脸色变了，质问道："你为何要将他带来？"

卢九却答道："我并没有带他来，是他带我来的。"

铁水皱眉道："他带你来的？"

卢九道："他带我来找花夜来。"

铁水怒道："那女贼怎会在这里？"

卢九道："她不在？"

铁水道："当然不在。"

卢九道："昨天晚上她也没有来？"

铁水道："有洒家在这里，她怎敢来！"

卢九叹了口气，用丝巾掩着嘴，轻轻咳嗽着，转脸看着段玉，道："你听见了么？"

段玉苦笑道："听见了。"

卢九又叹了口气，道："你走吧。"

段玉还没有开口，铁水已霍然长身而起，瞪着段玉，厉声道："你既然来了，还想走！"

卢九道："他并不想走，是我叫他走的。"

铁水道："你为什么要叫他走？"

卢九道："因为他是我的朋友。"

铁水道："他骗你，你还将他当作朋友？"

卢九道："也许并不是他在骗我，而是别人骗了他。"

铁水道："你相信他？"

卢九道："他本就是个诚实的少年，绝不会说谎的。"

铁水瞪着眼，上上下下地打量着段玉，突又大笑，道："好，好小子，过来喝酒。"

段玉道："这酒我也配喝？"

铁水道："无论你是个怎么样的人，你能令卢九相信你，这已很不容易。"

卢九微笑道："这已配喝三杯。"

那轻衣垂髫的少女，又开了新瓶，满引一杯，用一双白生生的小手捧着，脸上带着春花般的甜笑，盈盈地送到段玉面前。

春光明媚，春风轻柔。

满园的花开得正艳。

铁水虽然骄狂跋扈，虽然贪杯好色，但看来倒也是条英雄。

千古以来的英雄，又有几个不是这样子的？

段玉虽然一直空着肚子，但此情此景，此时此刻，忍不住也想喝两杯了。

黄金杯中，盛满了鲜红的酒。

段玉微笑着，接过了这杯酒。

他的笑容突然冻结，一双手也突然僵硬。

杯中盛的竟不是酒，是血。

鲜红的血！

“叮”地，金杯落地。

鲜血溅出。

铁水怒声说道：“敬酒不喝，你莫非要喝罚酒？”

段玉没有开口，只是垂着头，看着鲜红的血，慢慢地流过碧绿的草地。

卢九动容道：“这不是酒，是血！”

铁水脸色变了，霍然回头，怒目瞪着那轻衣少女。

少女面上已无人色，捧起了那新开的酒瓶，惊呼一声，酒瓶也从她手里跌落。

瓶中流出的也是血。

血还是新鲜的，还没有凝固。

少女失声道：“刚才这里面还明明是酒，怎么会忽然变成了血？”

顾道人动容道：“酒化为血，是凶兆。”

王飞道：“凶兆？这里难道有什么不祥的事要发生了？”

铁水沉着脸，一字字道：“不错，这里只怕已有个人非死不可。”

王飞道：“谁？”

铁水没有回答，却慢慢地抬起头，锐利的目光，慢慢地在每个人脸上扫过去。

这目光就像是一把刀，杀人的刀。

凶刀！

每个人的掌心都不觉已沁出了冷汗。

就在这时，花丛外突然有个人大步奔来，大声道：“花夜来的画舫已找着了。”

这人光头麻面，浓眉大眼，正是昨天被段玉打下水的和尚。

铁水道：“画舫在哪里？”

这和尚道：“就在长堤那边。”

他随手往后面指了一指，指尖竟似也在不停地发抖。

02

长堤外。

一艘无人的画舫，正在绿水间荡漾着。

翠绿色的顶，朱红的栏杆，雕花的窗子里，湘妃竹帘半卷。

窗前的人呢?

春色正浓，湖上的游船很多。

但却没有一条船敢荡近这条画舫的。

所有的船都远远就停了下来，船上的人都瞪大了眼睛，看着这条画舫，目中都带着惊慌恐惧之色，竟仿佛将这条画舫看成了一条鬼船，船上竟似满载着不祥的灾祸。

突然间，一艘快艇破水而来，箭一般向这画舫驶了过去。

铁水双手插着腰，纹风不动地站在船头，黑丝的宽袍在风中猎猎飞舞，距离画舫还有四丈，他的人已腾身而起。看来就像是绿波上突然飞起了一朵乌云，一掠四丈，已飘然落在画舫上。

喝彩声中，段玉也跟着掠了过去。

他并不是有心卖弄。

他只不过是心里着急，急着想看看这画舫上有什么事令人恐惧。

他看见了。

一跃上画舫，他立刻就看到了。

船舱中布置得很雅致，四壁都贴着雪白的壁纸，使得这舱房看来就像是雪洞似的。

雪白的壁纸上，今天却多了串梅花。

鲜血画成的梅花。

一个人就站在梅花下，头垂得很低，一张脸似已干瘪，七窍中流出的血也凝固，胸膛上竟赫然插着一柄刀，竟似活生生被人钉在墙上的。

刀柄缠着红绸，风从窗外吹进来，血红的刀衣在风中飞扬。

铁水拔刀。

刀已被嵌住，他用了用力，才拔出。

血已干。

没有干的血，只有一滴。

一滴血慢慢地从刀尖滴落，刀锋又亮如一泓秋水。

好亮的一把刀。

铁水凝视着刀锋，良久良久，突然大声赞道："好刀。"

王飞也跟了过来，赞道："的确是好刀。"

铁水道："你可认得这把刀？"

王飞摇了摇头。

铁水霍然回身，瞪着段玉，一字字道："你呢？你可认得这把刀？"

段玉的脸色早已变了。

他早已认出了这把刀。

铁水冷冷道："你当然应认得的，我若看得不错，这就是段家的碧玉七星刀！”

这的确是段家的碧玉七星刀，也就是段玉遗失在花夜来香闺中的那柄刀。

刀锋近锷处，还刻着段家的标记。

铁水的目光比刀锋更利，瞪着他，又道：“你可认得这个人？”

段玉摇了摇头。

他实在不认得这个人。

这个人的脸虽已干瘪扭曲，但还是依稀可以看得出生前一定是很清秀的年轻人，穿的衣服也很考究。

刀拔出来后，他的人就沿着墙壁慢慢地滑了下去，仿佛也正在仰着脸，看着段玉，凸出的眼睛里，充满了一种说不出的悲愤和冤屈之意。

他死得实在太惨，而且死不瞑目。

段玉忽然猜出这人是谁了。

他并不是从这人的脸上看出来的，而是从卢九脸上看出来的。

就在这一瞬间，卢九似已老了十岁，整个人都已虚脱。

他倚在墙上，仿佛也快要倒了下去。

惨死在刀下的这年轻人，莫非就是他的儿子卢小云？

段玉的心也已沉了下去。

铁水瞪着他，道：“你到江南来，当然也是为了要到宝珠山庄去求亲的？”

段玉只好承认。

铁水道：“卢小云艺出名门，文武双全，当然是你的劲敌。”

段玉也不能不承认。

铁水道：“所以你认为只要杀了他，就没有人能跟你竞争了。”

段玉道：“我……我连看都没有看过他。”

铁水道："杀人用的是刀，不是眼睛。"他扬起了手中的刀，厉声道，"这柄刀是不是你的？"

段玉道："是，但是用这柄刀杀他的人并不是我。"

铁水冷笑道："碧玉七星刀是段家家传的宝刀，怎么会落入别人手里？"

段玉道："那是我……"

铁水道："以你一人之力，要杀他当然还没有如此容易，花夜来当然也是帮凶。"

段玉道："但昨天晚上……"

铁水道："昨天晚上，你是不是跟花夜来在一起的？"

段玉垂下了头。

他忽然发现自己这时已落入了一个恶毒无比的圈套里，这冤枉就算用西湖满湖的水来洗，也是洗刷不清的了。

铁水目光已转向顾道人，沉声道："酒化为血，确是凶兆。"

顾道人长长叹了口气，道："的确是的。"

铁水又道："现在这里是不是已有个人非死不可？"

顾道人道："是。"

铁水忽然也长长叹息了一声，道："这三个月来，江湖中人都说铁水杀人如草，又有谁知道我的刀下从不刺无辜之人。"他凝视着手里的刀，慢慢地接着道，"这是柄好刀，用这样的刀杀奸狡之徒，倒也是一大快事，看来今日我又要大开杀戒了。"

段玉居然好像还不知道他要杀的是谁，也长叹着，道："用宝刀杀奸徒，确是人生一快，只可惜我们现在还不知道凶手是谁！"

铁水反而怔了怔，道："你还不知道？"

段玉摇摇头，道："现在虽然还不知道，但天网恢恢，疏而不漏，总有一天会找到他的。"

铁水看看他，那眼色就好像在看着个白痴。

段玉道："前辈现在不如先将这柄刀掷还，等找到了那凶手，晚辈一定再将这柄刀送上，让前辈亲手以此刀斩下他的头颅，为卢公子复仇。"

铁水道："你是要我将这柄刀给你？"

段玉点点头道："正如前辈所说，此刀乃是晚辈家传之物，本当时刻带在身边的。"

铁水突然仰面大笑，道："好，你既然要，你就拿去。"

刀光一闪，已闪电般劈向段玉的肩。

这本来就是柄好刀，使刀的更是绝顶好手，这一刀挥出，但见寒芒闪动，风生刀下，连顾道人都忍不住激灵灵打了个寒噤，只觉得一股肃杀之气，直逼眉睫而来。

段玉失声道："前辈，你怎么杀我，莫非杀错人了！"

刀快，他的身法更快。

只说了两句话，他已闪开了七刀。

但船舱中的地方本不大，他能够闪避的余地也不多，卢九在旁边若也出手，段玉只怕已死在刀下了。

想不到的是，卢九反而没有出手。

他还是倚着墙，痴痴地站在那里，就像是已完全麻木。

铁水的出手一刀比一刀快，这忽然崛起，已声震江湖的枭雄人物，果然有一身惊世骇俗的好武功。

少林虽不以刀法见长，但这柄刀在他手中使出来，威力绝不在天下任何一位刀法名家之下。

现在他刀法已变，施展的正是刀法中最泼辣、最霸道的"乱披风"。

刹那间刀光就已将整个船舱笼罩，段玉几乎已退无可退了。

连顾道人和王飞都已被逼出舱外。

段玉并不是不想退出去，怎奈无论往哪边退，刀光都已将他去路封死。

他的轻功虽高，在这种地方，又怎能完全施展得开。

王飞在舱外看着，忍不住叹道："我还是不相信这么样一个诚实的少年，会是杀人的凶手。"

顾道人沉吟着，道："也许他以前都是在装傻，你难道看不出他很会装傻？"

王飞冷冷道："我只看出铁水是个残忍好杀的人。"

顾道人道："哦。"

王飞道："他要杀段玉，好像并不是为了替卢九报仇，而是为了他自己喜欢杀人。"

顾道人叹了口气，说道："只要他杀的不是无辜……"

王飞打断了他的话，道："你怎知他杀的不是无辜？"

顾道人道："事实俱在。"

王飞道："什么事实？那柄刀？"

顾道人道："嗯。"

王飞道："你杀了人后，会不会将自己的刀留下？"

顾道人想了想，道："那柄刀似已被嵌住，也许他走得匆忙，来不及拔出来了。"

王飞沉吟着，道："你说他该杀？"

顾道人道："你说不该？"

王飞接着道："无论如何，等问清了再杀也不迟。"

顾道人道："你莫非想救他？"

王飞沉默着，一只手却已伸入腰际的革囊，革囊中装的正是江南霹雳堂名震天下的火器。

顾道人却拉住他的手，沉声道："这件事关系太大，你我既非当事人，千万不可轻举妄动。"

王飞还没有开口，突然间，"砰"的一声大震，竟然几乎将这条船撞翻了，他们的人也被震得跌倒。

刀光一起，本就聚在四周看热闹的游船，就愈聚愈多。

突然间，一艘大船从中冲了出去，船上一个紫衫少年，手点长篙。

他看来虽文弱，但两臂的力气却不小，长篙只点了几点，这条船已箭一般冲了过去，"砰"地，正撞在画舫的左舷上。

段玉闪避的圈子本来已愈来愈小，手里刚提起张凳子招架，突然刀光一闪，凳子已只剩下一条脚。

铁水跟着又劈出三刀，谁知船身突然一震，他下盘再稳，刀锋也已被震偏。

段玉的人也被震得飞了起来，飞出了刀光，飞出了窗子，"扑通"一声，跌入湖心。

只见湖面上露出一串水珠，他的人很快就沉了下去。

船身仍在摇动，铁水怒喝，翻身掠到窗口。

撞过来的这条大船上的紫衫少年对他嫣然一笑，突然扬手，洒出一片寒芒。

铁水挥刀，刀光如墙，震散了寒芒。

但这时紫衫少年却已掠起，"鱼鹰入水"，也钻入了湖心。

湖上涟漪未消，他的人也已沉了下去，看不见了。

铁水转身冲出，一把揪住顾道人的衣襟，怒道："这小子是哪里来的？"

顾道人道："想必是跟着段玉来的。"

铁水道：“你知道他是什么人？”

顾道人道：“迟早总会知道。”

铁水跺了跺脚，恨恨道：“等你知道时，段玉只怕已不知在哪里了！”

顾道人淡淡道：“大师若是怕他跑了，就请放心……”

铁水怒道：“我放什么心？”

顾道人道：“段家世居中原，在陆上虽然生龙活虎，一下了水，只怕就很难再上得来了。”

他微笑着转过头，忽然发现王飞正瞪大了眼睛，在看着他。

03

大船上的紫衫少年是谁呢？无论谁都想得到，当然一定是华华凤。

一个女人若总是喜欢找你的麻烦，吃你的醋，跟你斗嘴，这种女人当然不会太笨。

所以等到你有了麻烦之时，来救你的往往就是她。

华华凤也想到段玉很可能是个旱鸭子了。

她在水里，却像是一条鱼，一条眼睛很大的人鱼。

但是她却看不到段玉。

段玉明明是在这里沉下来的，怎么会忽然不见了呢？

难道他已像秤锤般沉入了湖底？

华华凤刚想出水去换口气，再潜入湖底去找，忽然发觉有样东西滑入了她领子。

她反手去抓，这样东西却又从她手心里滑了出去，竟是一条小鱼。

她转过身，就又看到了一条大鱼。

这条大鱼居然在向她招手。

鱼没有手，人才有手。

段玉有手，但现在他看起来，竟比鱼还滑，一翻身，就滑出了老远。

华华凤咬了咬牙，拼命去追，居然追不到。

她生长在江南水乡，从小就喜欢玩水，居然竟追不上个旱鸭子，她真是不服气。

一条条船的底，在水中看来，就像是一重重屋脊。

她就仿佛在屋脊上飞，但那种感觉，又和施展轻功时差得多了。

至少她不能换气，她毕竟不是鱼。

段玉也不是鱼，游着游着，忽然从身上摸出了两根芦苇，一根含在嘴里，将另一端伸出水面去吸气，剩下的一根就抛给了华华凤。

华华凤用这根芦苇深深吸了口气，这才知道一个人能活在世上自由地呼吸，已是件非常幸运，非常愉快的事，已经应该很知足才对。

人生有很多道理，本就要等到你透不过气来时，你才会懂的。

西子湖上，风物如画，这是人人都知道的，但西子湖下的风物，非但跟别的湖下面差不多，甚至还要难看些，这就很少有人知道了。

能知道的人，虽不是因为幸运，而是因为他们倒霉，但这种经验毕竟是难得的。

世上有很多人都游过西湖，又有几人在湖下面逛过呢？

他们潜一段水，换一次气，上面的船底渐渐少了，显然已到了比较偏僻之处。

段玉这才翻了个身，冒出水面。

华华凤立刻也跟着钻了上去，用一双大眼睛瞪着段玉。

段玉正在微笑着，长长地吸着气，看来仿佛愉快得很。

华华凤咬着嘴唇，忍不住问道："你还笑得出？"

段玉道："人只要还活着，就能笑得出，只要还能笑得出，就应该多笑笑。"

华华凤道："我只是奇怪，你为什么还没有淹死？"

段玉看着她，忽然不开口了。

华华凤道："你明明应该是只旱鸭子，为什么忽然会游水了呢？"

听她的口气，好像段玉至少应该被淹得半死，让她来救命似的。

段玉竟敢不给她个机会来大显身手，所以她当然很生气。

段玉还是看着她，不说话。

华华凤大声道："你死盯着我看什么？我脸上长了花？"

段玉笑了，微笑道："我只不过忽然觉得你应该一直待在水下面的。"

华华凤忍不住问道："为什么？"

段玉道："因为你在水下面可爱得多了。"

他知道华华凤不懂，所以又解释着道："你在水下面眼睛还是很大，却没法子张嘴。"

也许这就是公鱼唯一比男人愉快的地方——母鱼就算张嘴，也只不过是为了呼吸，而不是为了说话。

所以段玉又潜下了水。

他知道华华凤绝不会饶他的，在水下面总比较安全些。

现在无论华华凤再说什么，他都已听不见了。

只可惜他毕竟不是鱼，迟早总要上去的。

华华凤就咬着嘴唇，在上面等。

等了半天，还是没有看见他上来。

“这小子难道忽然抽了筋，上不来了？”

华华凤本来就是个急性子的人，忍不住也钻下水去，这次她很快就找到了段玉。

他正在用力将一大团带着烂泥的水草从湖底拖上来。

现在若是在水面上，华华凤当然不会错过这机会，“疯子、白痴”，这一类的话一定早就从她嘴里说了出来。

幸好这里是水下面，所以她只有看着。

她忽然发觉他拖着的并不是一团水草，而是一只箱子。

箱子上的水草和烂泥，现在已被冲干净了。

箱子居然还很新，木料也很好，上面还包着黄铜，黄铜居然还很亮，显见是最近才沉下水的。

无论谁都看得出，这种箱子绝不会是装破衣服烂棉被的。

像这么样一只箱子，怎么会沉在湖底下的呢？怎么会没有人来打捞？

华华凤立刻也帮着段玉去拖了。

她本来就是个很好奇的人，遇着这种事，她当然也不肯错过。

这箱子里装着些什么？是不是也藏着件很大的秘密？

若有人不让她打开箱子来看看，她不跟这人拼命才是怪事。

04

这里离湖岸已很近，用不了多久，他们就已将这箱子拖上岸去。

华华凤这才松了口气，道：“这箱子好重。”

段玉道：“的确不轻。”

华华凤道：“所以这箱子一定不是空的。”

段玉点点头。

华华凤道："你猜里面装的是什么？"

段玉笑着说道："我没有千里眼，也不是诸葛亮。"

华华凤眨着眼，道："那么你为什么还不打开来看看呢？"

段玉道："急什么，这箱子也不会跑的。"

华华凤却已着急道："你还等什么？"

段玉笑了笑，道："至少也该等我们先找个地方去换件衣服。"

他的话还没有说完，华华凤的脸已红了。

她终于也看到了自己的样子。

一个女人身上穿的若只不过是件很单薄的衣裳，这件衣裳又是湿的，那么她这时候的样子，实在不适于被男人看见。

现在段玉却偏偏正在看着她，看的却又偏偏正是他最不该看的地方。

她第一个想法，是赶快再跳下水去；第二个想法，是挖出段玉这双贼眼来。

但这当然也只不过是想想而已。

她全身都好像已被看得有点发软了，最多也不过只能躲到箱子后面去，红着脸，轻轻地骂："你这双贼眼为什么总是不看好地方！"

这里是个好地方。

连段玉都没有想到，在这里偏僻之处，居然有这么样一个好地方。

这里也是栋很精致的小屋子，几乎就跟花夜来带他去的那地方差不多精致。

这地方却是华华凤带他来的，女人好像总是比男人有办法。

现在华华凤正在里面换衣裳。

华华凤还没有开始换衣裳。

湿衣裳虽已脱了下来，她却还是痴痴地站在那里，痴痴地发着呆。

面前有个很大的穿衣铜镜，她就站在这镜子前，看着自己。

她已不再是个孩子了。

她的胸很挺，腰很细，双腿笔直修长，皮肤比缎子还光滑。

就连她自己，都很难在自己身上找出一点瑕疵缺陷，就连她自己看着自己的时候，有时都仿佛有点心动。

段玉看着她的时候，心里正想什么呢？

华华凤的手，轻轻地，慢慢地，从她圆润的腰肢上滑了下去……

窗子关着，窗帘低垂。

她忽然觉得全身都在发热。

她禁止自己再想下去，她禁止自己的手再动。

她今年才十七岁。

十七岁岂非正是一个人生命中最神奇、最奇妙的年纪？

华华凤终于换好衣裳，走了出来。

她换上的是件苹果绿的连衣长裙，剪裁得比合身还紧一点，恰巧能将一个十七岁成熟少女的身材衬托得更美。

这正是当时少女们最时新的式样。

她的皮肤本已十分细嫩，现在又淡淡地抹了些胭脂，淡淡地抹了些粉。

这样子当然比刚才好看多了，也比她女扮男装时好看多了。

这样子她本是特地给段玉看的——是谁说“女为悦己者容”的？说这句话的人，他一定还不太了解女人。

事实上，女孩子打扮自己，一定是为了要给她喜欢的男人看。

只可惜段玉现在反而偏偏不看她了。

他正在看那只箱子。

上好的樟木箱子，镶着黄铜，锁也是用黄铜打成的。

箱子很坚固，锁也很坚固，无论谁想打开看，都不容易。

段玉思索着，喃喃道："你以前看过这种箱子没有？"

华华凤道："没有。"

段玉道："我看过，这种箱子通常是富贵人家用来装绸缎字画、珠宝首饰的。"

华华凤道："哦。"

段玉道："所以这种箱子通常都被保管得很好，怎么会掉下湖底的呢？"

华华凤突然冷笑道："也许这箱子里装的只不过是个死尸，你还是少做你的财迷梦吧。"

她在段玉面前来来回回走了两趟，段玉居然还是没有抬起头来看她一眼。

她实在已经火大了。

段玉沉吟着，却又笑道："不错，箱子里装的也许真是个人，但却是活人，不是死人。"

华华凤冷笑道："你又在做什么梦？"

段玉接着说道："我以前听过一个很有趣的故事……"

他忽然停住嘴，不说了。

他若接着说下去，华华凤也许根本不听，至少装着不听的样子。

但他现在既然没有说下去，华华凤反而忍不住问道："什么故事？"

段玉道："那也是有关一口箱子的故事。"

华华凤道："什么样的箱子？"

段玉道："也是一口跟这差不多的箱子。"

华华凤忍不住大声道："你要说就快说。"

段玉这才笑了笑，道："据说从前有个年轻的猎人，很聪明也很勇敢，有一天他刚从陷阱活捉到一只熊，跟他的伙伴们用绳子捆住了，准备抬回去，谁知半路上竟在草丛中发现了一口箱子。"

华华凤道："就是这样的箱子？"

段玉道："比这箱子还要大，他当然也奇怪，这么样一口箱子，怎会掉在野草丛中呢？"

华华凤道："所以他就想打开这一口箱子来看看？"

段玉道："不错。"

华华凤道："箱子里是什么？"

段玉笑了笑，道："是个女人，很年轻、很漂亮的女人。"

华华凤冷笑着，摇着头道："我不信，女人怎么会在箱子里？"

段玉道："那猎人本来也很奇怪，所以等这姑娘醒了，就立刻问她。"

华华凤道："她怎么说？"

段玉道："原来她本是个富家千金，她的家被一批强盗洗劫，全家人都已惨死。"

华华凤道："她是怎么逃脱虎口的？"

段玉道："她并没有逃脱虎口，那批强盗为首的两个人，是两个和尚，这两个和尚看中了她的美色，就把她藏在箱子里，准备带回去。"

华华凤道："既然他们没安好心，为什么又将箱子抛在道旁呢？"

段玉道："那地方本来偏僻，他们为了避人耳目，才将箱子藏在那里，两个和尚抬着口大箱子在路上走，总难免要被人怀疑的。"

华华凤道："他们本没有想到有人会到那种偏僻的地方去。"

段玉点点头。

华华凤道："后来呢？"

段玉道："那些猎人听了这位千金小姐的故事，当然对她很同情，就将她从箱子里救了出来，却将那只刚捉来的大熊装在箱子里去。"他微笑着，又道，"我说过，那口箱子比这口箱子还要大。"

华华凤忍不住看了看面前的箱子，道："这口箱子也不小。"

段玉道："的确不小，若要将一个人装进去，也并不是件困难的事。"

华华凤道："你的故事还没有说完。"

段玉道："后来那位千金小姐为了感激那年轻猎人的救命之恩，就嫁给了他。"

华华凤冷笑道："那也许不过是因为她没地方可去了，只好嫁给他。"

段玉笑道："也许是的，我只知道她的确嫁给了他。"

华华凤道："那两个和尚呢？"

段玉道："他们后来再也没有看到那两个和尚，只不过听说城里出了件怪事。"

华华凤道："什么怪事？"

段玉道："那天城里最大的客栈，有两个穿着新衣服，还戴着新帽子的人去投宿，还带着口很大的箱子。"

华华凤道："就是那口箱子？"

段玉没有回答，接着道："他们要了间最大的房间，还要了很多酒菜，就关起门，再三嘱咐店里的伙计，无论听到什么声音都不要去打扰他们。"

华华凤恨恨道："这两个贼和尚，真不是好东西。"

段玉道："后来伙计果然就听到他们房里传出很奇怪的声音，虽然不敢去问，却忍不住想到外面去看看动静。”

华华凤道：“他看到了什么？”

段玉道：“他等了没多久，就看到一只大熊从房里冲出来，嘴角还带着血痕，等这只熊落荒而逃了之后，他才敢到那间房里去看。”

他叹了口气，接着道：“房里当然已被打得乱七八糟，而且还有两个和尚死在里面，脸上带着种说不出的惊讶恐惧之色。”

华华凤忍不住笑道：“他们当然做梦也想不到箱子里的美人会变成了只大熊。”

段玉笑道：“别人当然更想不到他们为何要将一只大熊藏在箱子里，所以这件事一直是件疑案，只有那年轻的猎人夫妻，才知道这其中的秘密。”

他笑着又道：“他们就一直保留着这秘密，一直很幸福地活到老年，而且活得很富裕，因为那和尚将抢来的赃物，也藏在那箱子里。”

华华凤脸上也不禁露出了愉快的微笑，道：“这故事的确很有趣。”

段玉笑着说道：“所以我一直到现在还没有忘记。”

华华凤用眼角瞟着他，道：“你是不是很羡慕那年轻人的遭遇？”

段玉叹了口气，道：“这样的事，又有谁不羡慕？”

华华凤已板起了脸，冷冷道：“所以你现在只希望这箱子里，最好也有个活生生的大美人。”

段玉微笑，笑得很开心。

华华凤瞪着他，冷笑道：“但你又怎知这箱子里装的不是只吃人的大熊呢？”

段玉笑道：“恶人才会有那样的恶报，以前别人把这个有趣的故事讲给我听的意思，就是叫我不要做坏事。”

华华凤道：“你没有做过坏事。”

段玉点点头，笑道："所以这箱子里装着的，绝不会是只大熊。"

华华凤道："也绝不会是个大美人。"

段玉故意问道："为什么？"

华华凤冷冷道："世上根本就不会有这样的事，这故事根本就是你编造的，因为你吃了和尚的亏，所以就说那强盗是和尚。"

段玉正色道："你错了，这件事并不假，段成式的笔记《酉阳杂俎》上就记载过这件事，善有善报，恶有恶报，这句话也不假，所以一个人活在世上，还是不要做坏事的好。"

华华凤瞪了他一眼，忍不住笑道："无论你怎么说，我还是不相信会有人被装在箱子里……"

她这句话并没有说下去，因为这时箱子里竟突然发出了一种很奇怪的声音，竟像是真的有个人在箱子里呻吟。

箱子里竟赫然真的有个人。

而且是个活人。

华华凤张大了眼睛，瞪着这口箱子，就好像白天见了活鬼似的。

段玉也很吃惊。

他就算真相信世上有这种事，也从未想到这种事会被自己遇着。

过了半晌，呻吟居然没有停止。

华华凤忽然道："这箱子是你找来的。"

段玉只好点点头。

华华凤道："所以你应该打开它。"

段玉叹了口气，苦笑道："我当然总不能将它再抛下水去。"

华华凤道："你现在为什么还不动手？"

段玉皱眉道："这锁真大，我能不能打开还不一定。"

华华凤道："你一定能打开的，我知道你手上的功夫很有两下子。”

段玉道：“你呢，你显然想看，为什么不自己来动手？”

华华凤道：“我不行，我是个女人。”

她好像直到现在才想起自己是个女人。

女人若是不想做一件事时，通常都很快就会想起这一点。

这一点恰巧也正是男人没法子否认的。

所以段玉只好自己动手去开箱子了。

华华凤却已转过了身。

她非但不肯帮忙，连看都不肯看，好像生怕箱子里会跳出个活鬼来。

“叮”的一声，段玉终于扭断了铜锁，打开了箱子。

华华凤等了半天，还没有听见动静，忍不住问道：“箱子里真有个人？”

段玉道：“嗯。”

华华凤道：“是个活人？”

段玉道：“嗯。”

华华凤咬着嘴唇，道：“是个老人还是年轻人？”

段玉道：“年轻人。”

华华凤又咬了半天嘴唇，终于又忍不住问道：“是男的还是女的？”

段玉道：“是男的。”

华华凤这才松了口气，嘴角也露出了微笑。

她宁愿这箱子里是一只大熊，也不希望是个女人。

有人说，女人最讨厌的动物是蛇。

也有人说，女人最讨厌的是老鼠。

其实女人真正最讨厌的是什么？

——女人。

女人真正最讨厌的动物，也许就是女人。

一个可能成为她情敌的女人，尤其是一个比她更美的女人。

箱子里这人不但很年轻，而且很清秀，只不过脸色苍白得可怕，身上又只穿着套内衣褂，所以看起来很狼狈。

他一直在轻轻地呻吟着，眼睛却还是闭着的，并没有醒。

华华凤刚转身走过来，就嗅到一股酒气，忍不住皱眉道："原来这人也是个酒鬼。"

段玉道："只不过他肚子里的酒，绝对没有他衣服上的多。"

这人身上一套质料很好的短衫褂上，果然到处都有酒渍。

华华凤道："他若没有醉，为什么还不醒？"

段玉沉吟着，道："这人看来好像是中了蒙汗药、熏香一类的迷香，而且中的分量很不轻。"

华华凤道："你的意思是说，他是被人迷倒之后，再装进箱子的？"

段玉道："无论谁清醒的时候，都绝不会愿意被人装进箱子的。"

华华凤看着这个人苍白又清秀的脸，忽然笑了笑，道："不知道将他装进这箱子里的，是不是两个尼姑？"

段玉眨了眨眼道："不知道他现在是不是也已没地方可去，你倒也不妨把他招做女婿。"

华华凤却立刻沉下了脸，冷冷道："谢谢你，这实在是个好主意，真亏你怎么想得出来的。"

段玉也笑了，也好像松了口气。

华华凤瞪着他，冷笑着又道："你难道真怕我找不到女婿？"

段玉笑着道："难道只准你气我，就不准我气你？"

华华凤道："就是不准。"

段玉叹了口气，道："其实这小伙子看来也蛮不错的，也未必配不上你。"

华华凤也叹了口气，道："只可惜这人也跟你有一样的毛病。"

段玉道："什么毛病。"

华华凤道："呆病。"她抿着嘴一笑，接着又道，"假如一个人若是没有呆病，又怎么会被人装进箱子里！"

段玉又叹了口气，这次是真的叹气。

现在他的确有这种感觉，觉得自己好像已被人装进了箱子里，而且很快就要沉下去。

最难受的是，直到现在，他还不知道自己是怎么会被装进这口箱子的。

华华凤眼波流转，又道："你看他是怎么会被人装进箱子的？"

段玉叹息着，摇了摇头。

华华凤道："不知道他是不是也跟你一样，别人无论说什么，他都相信。"

段玉只有苦笑。

华华凤接着又道："看来这一定是有人想谋财害命。"

段玉道："哦。"

华华凤正色道："先谋财害命，然后再毁尸灭迹。"

看来这人的确是个富家子，他身上穿的这套短衫裤，就已不是平常人穿得起的。

华华凤道："想不到这西子湖上居然也有强盗，等这个人醒了后，我们要仔细问问他，这些强盗在哪里。"

她并没有等多久，这人就醒了过来。

他看见自己忽然到了个陌生的地方，当然觉得很惊奇。

但是他很快就镇定了下来。

若是换了别人，在这种情况下醒来，一定有很多话要问段玉他们的。

但是他连一句话都没有问，甚至连一个“谢”字都没有说。

别人救了他，他好像反倒认为别人是在多事。

华华凤忍不住道：“你知不知道你是怎么会到这里来的？”

这人看了她一眼，好像轻轻地摇了摇头。

华华凤道：“你是被我们从一口箱子里救出来的，这口箱子本来已沉在湖底。”

若是换了别人，听到自己刚才在一口箱子里，当然要大吃一惊。

但这人却连眼睛都没有眨一眨。

华华凤道：“你怎么会到那口箱子里去的？是不是有人害你？”

这人还是闭着嘴，日光却已移向段玉。

华华凤道：“你看的这个人，姓段，叫段玉，是个很有本事的人，你若告诉他是谁害你，他一定会去帮你出气。”

这人非但闭着嘴，连眼睛都已闭了起来。

华华凤忍不住大笑道：“你难道是个哑巴？”

这人看来不但像是个哑巴，而且还是个聋子。

华华凤叹了口气，看着段玉，苦笑道：“我们错了。”

段玉道：“哪点错了？”

华华凤道：“看来这人好像是自己愿意被装进箱子的，我们又何苦多事救他出来？”

段玉笑了笑，道：“我若刚从一口箱子里出来，我也不会有心情说话的。”

华华凤道：“但他若什么事都不肯说，我们又怎能去替他出气呢？”

段玉道：“有种人若要找人算账时，就自己去，并不想要别人帮忙的。”

华华凤冷笑：“我知道有很多男人都是这样的臭脾气。”

这人忽又睁开眼睛来看了他一眼，终于说出了三个字：“谢谢你。”

他直到现在才说出这三个字，好像并不是因为段玉救了他的命，而是因为段玉替他说出了心里的话。

他说出了这三个字，就立刻站了起来。

华华凤皱眉道：“你现在就要走？”

这人点了点头，刚走了一步，脸上突然露出极剧烈的痛苦之色，就好像突然被尖针刺了一下。

然后他的人就倒了下去。

段玉这才发现，他肩后有一点血渍，华华凤已失声道：“你受了伤？”

这人挣扎着，又站起来，又倒下，这次倒下去后，就已晕了过去。

他果然受了伤。

伤在肩后，伤口只有针孔般大，但整个肩头都已乌黑青肿，显然是被人用一种很轻巧，却很歹毒的暗器，从他背后暗算了他。

华华凤皱眉道：“这暗器有毒。”

段玉叹道：“不但有毒，而且毒得厉害。”

华华凤道：“还有没有救？”

段玉笑了笑，道：“我杀人虽然不在行，救人却是专家。”

他微笑着卷起了衣袖，又道：“你只要给我一壶烫热了的好酒，我保证还你个活人。”

华华凤用眼角瞅着他，目光中带着狐疑之色，喃喃道："这人莫非是想骗我的酒喝？"

段玉并不是在骗酒喝，也没有吹牛，看来他倒真有点本事。

他先将酒含在嘴里，一口喷在这人的伤上，再从怀里拿出了那柄晶莹翠绿的碧玉刀，挖出了伤口附近的烂肉。

等到伤口中流出的血由乌黑变为鲜红，他就用热酒调了些药粉敷上去，长长吐出口气，笑道："你现在总该相信我不是吹牛的了。"

华华凤嫣然一笑，道："想不到你果然真有两下子。"

段玉道："何止两下子，简直有好几下子。"

华华凤道："你真的什么病都会治？"

段玉道："只有一种病我治不了。"

华华凤道："什么病？"

段玉道："饿病。"他叹了口气，苦笑道，"不知道你这里有什么药能治好我这饿病？"

华华凤笑道："你想吃什么？"

段玉道："你这里有什么？"

华华凤道："这里本是栋空房子。"

段玉道："连个人都没有？"

华华凤道："没有。"

段玉道："你自己会做饭？"

华华凤嫣然道："不会，可是我会买。"

这次她也没有吹牛，她果然会买。

段玉刚将病人扶到屋里去躺下，等了还没多久，她就大包小包地买了一篮子回来。

她解开第一包，是虾。

段玉的眼睛已亮了，笑道："这一定是太和楼的油爆虾。"

第二包是炸排骨。

段玉道："这大概是奎元馆的排骨面浇头。"

第三包是包子。

段玉道："这是不是又一村的菜肉包？"

第四包是肉，每块至少有三寸厚。

段玉用舌头舔了舔嘴唇，笑道："这想必就是清和坊王润兴的盐件儿了。"

第五包是鱼丸。

段玉道："这是得月楼的肋鲞蒸鱼丸儿。"

第六包是熟藕。

段玉道："这是酥藕。"

华华凤笑了，道："想不到吃你也是专家。"

段玉道："我就算没吃过猪肉，至少还看见过猪走路。"

其实这些东西他连看都没看过，只不过听说过而已。

西湖的盐件儿和酥藕，本就是天下闻名的。

最后一包是太平坊巷子里的炸八块，再配上杏花村的陈年竹叶青，除了在西湖，你大概只有在做梦时才能吃到这些东西。

事实上，奎元馆、清和坊、得月楼，这些地方本也是老饕们在梦中常到的。

段玉正择肥而噬，拈了块盐件儿放进嘴里，华华凤忽又从篮子里拿出一张桑皮纸，脸上带着种神秘的笑意，道："你认不认得这是什么？"

桑皮纸上画着一个人，一个眉清目秀，面带笑容的年轻人。

人像下还有一行大字："悬赏纹银五千两。"

段玉认得的人也许不太多，但这人他总是认得的。

因为这人就是他自己。

他看着纸上的画像，摸着自己的脸，苦笑着喃喃道："画得不太像，这画中的人比我漂亮。"

华华凤嫣笑道："你大概连自己都没想到，你这人还值五千两银子。"

段玉叹了口气，道："是谁花五千两银子来找我呢？"

华华凤道："你真想不到。"

段玉道："莫非是铁水？"

华华凤道："对了。"

段玉苦笑道："我跟这人又无冤，又无仇，我实在想不通他为什么一定要跟我过不去。"

华华凤道："看来他的确是不肯放过你，这样的赏格，他至少已发出好几千件，这地方每间酒楼饭馆里，都至少贴着好几张。"她笑了笑，接着道，"现在杭州城里，还不认得阁下这副尊容的人，只怕已不太多了。"

段玉道："五千两银子也不算太少。"

华华凤道："当然不算少，为了五千两银子，有些人连祖宗牌位都肯出卖的。"

段玉道："所以现在我已没法子想了。"

华华凤道："现在你简直已寸步难行，就算没有这五千两银子，杀人的凶手也是人人都痛恨的，你只要出去走一步，立刻就会有人去铁水那里通风报信。"

段玉苦笑着，喃喃道："杀人凶手……连我自己也想不通我怎么会忽然变成个杀人凶手，难道这也算是运气？"

华华凤道："你真想不通？"

段玉倒了杯酒，一口气喝下去。

华华凤道："你再想想，最好从头想起。"

段玉又倒了杯酒喝下去，道："那天你看到我的时候，我刚到这里来。"

华华凤道："然后呢？"

段玉道："然后我就刚巧看到了那件事，花夜来也恰巧在那天出现了。"

华华凤接道："然后你就跟着她到了她的香闺。"

段玉道："我出来的时候，就刚巧遇见了那好管闲事的乔老三。"

华华凤道："他就要你到凤林寺去找个姓顾的道士。"

段玉道："我本来也未必找得到的，但刚巧又遇见了你。"

华华凤道："我刚巧知道凤林寺在哪里。"

段玉道："凤林寺那里刚巧真有个顾道人，我不但见着了他，还认得了两个新朋友，赢了十万两的银子，正觉得自己运气不错。"

华华凤道："他们刚巧也知道这件事，所以就叫你去找花夜来。"

段玉长叹道："所以我就忽然变成了个杀人的凶手，死人身上的那柄刀，竟刚巧是我的。"

华华凤道："你想世上真有这么巧的事？"

段玉苦笑道："我想来也是绝不会有的，但却偏偏被我遇见了。"

华华凤也叹了一口气，道："这简直就像是走到路上时，凭空会掉下个大元宝来，掉在你的头上。"

段玉道："我现在只觉得自己好像也被装进口箱子里，而且是口密不透风的箱子。"

华华凤道："是谁把你装进去的呢？是花夜来，还是铁水？"

段玉道："我想不出。"

华华凤道："你难道从未想过，也许这只不过是你自己将自己装进去的？"

段玉道："绝不是我自己，一定有个人，这人也不知为了什么。有心要害我，我还没来的时候，他已经在这里挖好了个陷阱等着我跳下去。"他喝下了第四杯酒，一字字接着道，"可是你只管放心，我迟早总会将这人找出来的。"

华华凤轻轻叹息着，道："我只怕你还没有找出他来时，就已经被埋在湖底的烂泥里。"

她替自己倒了杯酒，又倒了杯给段玉。

段玉却连酒都已有点喝不下去了，现在这酒也好像是苦的。

他竟没有发现有个人已悄悄地走了过来，正在看着桌上的那张桑皮纸。

这人的脸色苍白得跟纸一样，却有双很锐利的眼睛。

一个人若已被装进了箱子，若没有特别好的运气，就很难再活着出来了。

你有没有被人装进过箱子？

第四章

月夜钓青龙

01

很少有人被装进过箱子，更少有人还能活着出来。

这人遇见段玉，真是他的运气。

现在他已坐了下来，但眼睛却还是在瞪着那桑皮纸。

华华凤脸色已有些变了，段玉却笑了笑，道：“阁下看我像是个杀人的凶手么？”

这人道：“不像。”

他居然也开口说话了，段玉似乎有些喜出望外，又笑道：“我看也不像。”

这人道：“别人说他杀的是谁？”

段玉道：“是个我连看都没有看过的人，姓卢，叫卢小云。”

这人道：“其实卢小云并不是他杀的。”

段玉苦笑道：“当然不是，只不过若有十个人说你杀了人，你也会忽然变成杀人凶手的。”

这人慢慢地点了点头，道：“我知道这是什么滋味，我也被人装进过箱子。”

华华凤忍不住道：“但现在你已出来了，是他救你出来的。”

这人又慢慢地点了点头。

华华凤道："所以你就算没法子救他出来，至少也不该想要这五千两银子。"

这人面上忽又露出痛苦之色，黯然道："我的确无法救他出来，现在我只想喝杯酒。"

段玉笑道："你也会喝酒？"

这人笑了笑，笑得很苦涩，缓缓道："能被装进箱子里的人，多少总能喝一点的。"

他喝的并不止一点。

事实上，他喝得又多又快，一杯接着一杯，简直连停都没有停过。

愈喝他的脸愈白，脸上的表情也愈痛苦。

段玉看着他，叹道："我知道你很想帮我的忙，但你就算帮不上这忙，也用不着难受，因为现在根本就没有人能把我从这口箱子里救出来。"

这人忽也抬起了头，凝视着他，道："你自己呢？"

段玉在沉吟着，道："现在我也许还有一条路可走。"

这人道："哪条路？"

段玉道："先找出花夜来，只有她才能证明我昨天晚上的确在那栋屋子里，说不定也只有她才知道谁是杀死卢小云的真凶。"

这人道："为什么？"

段玉道："因为也只有她才知道卢小云这几天的行迹。"

这人道："怎见得？"

段玉道："这几天卢小云一定就跟她在一起，所以卢家的珍珠和玉牌，才会落到她手里。"

这人道："你能找得到她？"

段玉道："要想找到她，也只有一种法子。"

这人道："什么法子？"

段玉道："她就像是条鱼，要钓鱼，就得用鱼饵。"

这人道："你准备用什么做鱼饵？"

段玉道："用我自己。"

这人皱着眉道："用你自己？你不怕被她吞下去？"

段玉苦笑道："既然已被装在箱子里，又何妨再被装进鱼肚子。"

这人沉默着，接连喝了三杯酒，才缓缓道："其实你本不该对我说这些话的，我只不过是个陌生人，你根本不知道我的来历。"

段玉道："可是我信任你。"

这人抬起头，目中又露出感激之色。

你若在无意之间救了一个人，并不是件能令人感动的事，但你若了解他，信任他，那就完全不同了。

但这时段老爷子若也在这里，他一定会很生气的。

因为段玉又忘记了他的教训，又跟一个来历不明的陌生人交上了朋友。

段玉忽然转身从窗台上拿了个酒杯过来。

杯中没有酒，却有样闪闪发光的东西，看来就像是鱼钩，钩上还带着血丝。

段玉道："这就是我从你身上取出的暗器，你不妨留下来作纪念。"

这人道："纪念什么？"

段玉笑道："纪念这一次教训，别人以后再想从你背后暗算你，机会只怕已不多了。"

这人不停地喝着酒，竟连看都懒得看一眼。

段玉道："你不想看看这是什么暗器？"

这人总算抬起头来看了看，道：“看来好像是个鱼钩。”

段玉笑道：“的确有点像。”

这人忽然也笑了笑，道：“所以你不妨就用它去钓鱼。”

段玉道：“这东西也能钓鱼？”

这人道：“不但能钓鱼，有时说不定还会钓起条大龙来。”

段玉笑了笑，觉得他已有些醉了。

这人却又道：“水里不但有鱼，也有龙的，有大龙，也有小龙，有真龙，也有假龙，有白龙红龙，还有青龙。”

段玉道：“青龙？”

这人道：“青龙是最难钓的一种，你若想钓青龙，最好今天晚上就去，因为今天晚上正是二月初二龙抬头。”

他的确已醉，说的全是醉话。

现在明明已过了三月，他却偏偏要说是二月初二龙抬头，他自己的头却已抬不起来。

然后他非但嘴已不稳，连手都已不稳，手里的酒杯突然跌在地上，跌得粉碎。

华华凤忍不住笑道：“这么样一个人，就难怪会被人装进箱子里。”

段玉却还在出神地看着酒杯里的鱼钩，竟似没有听见她在说什么。

02

又一村的包子是很有名的，所以比别的地方的包子贵一点，因为它滋味确实特别好，所以买的人也没什么怨言。

但等到它冷了的时候再吃，味道就不怎么样了，甚至比普通的热包子还难吃些。

段玉嘴里嚼着冷包子，忽然发现了一样他以前从未想到过的道理。

他发现世上并没有“绝对”的事，既没有绝对好吃的包子，也没有绝对难吃的包子，一个包子的滋味好坏，主要是看你在什么地方和什么时候吃它。

本来是同样的东西，你若换个时候，换个角度去看，也许就会变得完全不同了。

所以你若要认清一件事的真相，就必须在各种不同的角度都去看看，最好是将它一块块拆散，再一点点拼起来。

这道理仿佛给了段玉很多启示，他似已想得出神，连咀嚼着的包子都忘记咽下去。

对面的一扇门上，挂着苏绣门帘，绣的是一幅春夜折花图。

华华凤已走了进去，里面好像就是她的闺房。

那个从箱子里出来的陌生人，已被段玉扶到另一间屋子里躺下。

他好像醉得很厉害，竟已完全人事不知。

酒量也不是绝对的，你体力很好，心情也很好的时候，可以喝得很多，但有时却往往会糊里糊涂地就醉了。

段玉叹了口气，替自己倒了杯酒，他准备喝完了这杯酒，就去钓鱼。

说不定他真会钓起条龙来，世上岂非本就没有绝对不可能的事？

就在这时，那绣花门帘里，忽然伸出了一只手来。

一只纤秀优美的手，正在招呼叫他进去。

女孩子的闺房，怎么可以随便招呼男人进去的呢？

段玉犹豫着，道："什么事？"

没有回答。

不回答往往就是最好的回答。

段玉心里还在猜疑着，但一双脚却已站了起来，走了过去。

门是开着的，屋子里有股甜甜的香气，挂着绣帐的床上，乱七八糟地摆着好几套衣服，其中有一套就是华华凤刚才穿在身上的。

显见她刚才试过好几套衣服之后，才决定穿上这一套。

现在却又脱了下来，换上了一套黑色的紧身衣裤，头发也用块黑巾包住，看来就像是个正准备去作案的女贼。

段玉皱了皱眉，道："你准备去干什么？"

华华凤在他面前转了个身，道："你看我像干什么的？"

段玉道："像个女贼。"

华华凤却笑了，嫣然道："女贼跟凶手一起走出去，倒真够人瞧老半天的了。"

段玉道："你准备跟我出去？"

华华凤道："不出去换这套衣服干什么？"

段玉道："但我只不过是出去钓鱼啊？"

华华凤道："那么我们就去钓鱼。"

段玉道："你不能去。"

华华凤道："为什么？"

段玉叹道："钓鱼的人，往往反而会被鱼钓走，你不怕被鱼吞下肚子？"

华华凤笑道："那也好，我天天吃鱼，偶然被鱼吃一次，又有什么关系？"

段玉道："你以为我是在说笑话？你看不出这件事有多危险？"

华华凤淡淡道："若是看不出，我又何必陪你去？"

她说得虽然轻描淡写，但眼睛里却充满了关切和忧虑，也充满了一种不惜和段玉同生死、共患难的感情。

这种情感就算是木头人也应该感觉得到。

段玉不是木头人，他的心已变得好像是一个掉在水里的糖球。

他似已不敢再去看她，却看着床上那套苹果绿色的长裙，忽然道："你这件衣服真好看。"

华华凤白了他一眼，又忍不住笑道："你难道看不出我刚才一直在等着你说这句话，现在才说岂非已经太迟了。"

段玉也忍不住笑说道："迟点说也总比不说的好。"

华华凤嫣然一笑，转身关起了门。

明明是要出去的，为什么忽然关起了门。

段玉的心忽然跳了起来，跳得好快。

华华凤又将门上起了闩。

段玉的心跳得简直已快跳出了腔子，他从来没有遇见过这种场面。

他简直不知道该怎么办才好。

华华凤已转过身，微笑着道："现在就算隔壁那个人醒过来，也不知道我们去干什么了。"

她笑得好甜。

段玉红着脸，吃吃道："我们干什么？"

华华凤道："你不是说要去钓鱼吗？"

段玉道："在这屋子里钓鱼？"

华华凤“扑哧”一笑，忽然间，她的脸也红了起来。

她终于也想到段玉心里在想什么。

“男人真不是好东西。”

她咬着嘴唇，瞪了段玉一眼，忽然走过来，用力推开了窗子。

窗外就是西湖。

这屋子本就是临湖而建的。

月光照着湖水，湖水亮得仿佛是一面镜子，一条轻巧的小船，就泊在窗外。

“原来她要从这里出去。”

段玉总算明白了，长长松了口气，忍不住笑道：“原来这里也有条路，我还以为……”

华华凤很快地打断了他的话，大声道：“你还以为怎么样？”

她的脸更红，恨恨地瞪着他，道：“你们男人呀，心里为什么总是不想好事？”

夜。

月夜。

月下湖水如镜，湖上月色如银，风中仿佛带着种木棉花的香气。

小舟在湖面上轻轻荡漾，人在小舟上轻轻地摇晃。

是什么最温柔？

是湖水？是月色？还是这人的眼波？

人已醉了，醉的却不是酒。

三月的西湖，月下的西湖，岂非本就比酒更醉人？

何况人正年轻。

华华凤把一只桨递给段玉。

段玉无言地接过来，坐到她身旁，两只桨同时滑下湖水，同时翻起。

翻起的水珠在月光下看来就像是一片碎银。

湖水也碎了，碎成一圈圈的涟漪，碎成一个个笑涡。

远处是谁在吹笛?

他们静静地听着这笛声，静静地听着这桨声。

桨声比笛声更美，更有韵律，两双手似已变成一个人的。

他们没有说话。

但他们却觉得自己从未和任何一个人如此接近过。

两心若是同在，又何必言语?

也不知过了多久，段玉才轻轻地叹息了一声，道:“假如我没有那些麻烦的事多好?”

华华凤又沉默了很久，才轻轻地道:“假如没有那些麻烦的事，这船上也许就不会有你，也不会有我了。”

段玉看着她，她也在看着段玉，他们的手伸出来，轻轻一触，又缩了回去。

但就只这双手轻轻的一触，已胜过千言万语。

小舟已泊岸。

岸上垂柳，正是段玉遇见乔老三的地方。

华华凤搁下了桨，道:“你叫我带你到这里来，现在呢?”

段玉接道:“现在我们上岸去，我想再去找一次。”

华华凤道:“找那屋子?”

段玉道:“我总不相信我会找错地方。”

华华凤道:“世上有很多敲错门的人，就因为他们也不相信自己会找错地方。”

段玉道:“所以我要再找一次。”

这次他更小心，几乎将每栋有可能的屋子都仔细观察了很久。

幸亏现在夜已很深，没有人看见他们，否则就要把他们当贼办了。

他们找了很久，看过了十几栋屋子，最后的结论是：段玉白天并没有找错。

华华凤道："你就是白天带顾道人他们到这里来的？"

段玉点点头。

华华凤道："昨天晚上，你跟花夜来喝酒的地方，也是这里？"

段玉道："绝不会错。"

华华凤道："那么铁水怎会在这里呢？而且已住了很久。"

段玉道："这正是我第一件想查明的事。"

院子里没有灯光，也没有声音。

华华凤道："你想进去？"

段玉道："不进去看看，怎么能查个明白？"

华华凤叹了口气，道："但这次你若再被铁水抓住，他就再也不会放你走了。"

段玉道："所以你千万不要跟我一起进去。"

华华凤笑了笑，只笑了笑，什么话都不再说。

段玉也没法子再说什么，因为她已先进去了，她的轻功居然也很不错。

庭园寂寂，蔷薇花在月下看来，虽没有白天那么鲜艳，却更柔媚。

在这里他们才发现，还有一间屋子里是燃着灯的。

昏黄的灯光从窗户里映出来，映出了窗台上三盆花的影子。

段玉压低声音，道："昨天晚上我就是在这屋子里睡的。"

华华凤道："花夜来呢？"

段玉道："她也在。"

说出了这句话，他就发现自己说错了。

华华凤的脸，一下子就变得像是个债主，冷笑道："看来你昨天晚上艳福倒不浅。"

段玉红着脸，道："我……我……"

华华凤大声道："你既然享了福，就算受点罪，也是活该。"

她似已忘了这是在别人的院子里，似已忘了他们来干什么的。

据说一个女人吃起醋来的时候，连皇帝老子都管不住的，何况段玉。

段玉只有苦笑，只有干着急。

谁知屋子里还是一点动静也没有，里面的人好像全都睡得跟死猪一样。

随便你怎么看，铁水也不会是能睡得像只死猪一样的人，花夜来倒可能，据说淫荡的女人都贪睡。

难道今天晚上他不在这里？

难道花夜来又回来了？

华华凤咬着嘴唇，突然蹿过去，用指甲点破了窗纸。

她实在不是做贼的人才，也不知道先在指甲上蘸了口水，免得点破窗纸时发出声音来。

只听"噗"的一声，她竟然将窗纸戳穿了个大洞。

段玉的脸已有点发白了，谁知屋子里还是无丝毫动静。

屋子里难道没有人？

屋子里果然没有人。

非但没有人，连里面的东西都搬走了，这地方竟变成了一栋空房子，只剩下窗户上的三盆花，忘记被拿走。

段玉怔住。

华华凤也怔住。

两个人在空房子里怔了半天，华华凤道：“也许你白天去的不是这地方。”

段玉点点头。

华华凤道：“你走了之后，花夜来怕你再来找她，所以也搬走了。”

段玉道：“那么我白天去过的那栋房子，现在到哪里去了呢？”

华华凤道：“也许就在这附近，但现在你却又找不到了。”

段玉叹了一口气，苦笑着说道：“也许我活见了鬼。”

华华凤冷笑道：“你本来就见了鬼，而且是个女鬼。”

段玉不敢再答腔了，幸好他没有再答腔。

因为就在这时，他忽然听见外面传来一阵很奇怪的呼哨声。

这种呼哨声，通常是夜行人发出的暗号。

果然有夜行人在外面，他们已听见了有两个人在外面说话：“确定就是这里？”

“绝不会错，我上个月才来过。”

“可是里面为什么还没有人出来呢？”

“只怕都已睡了。”

“睡得这么死？”

“江湖上有谁敢到这里来打主意？太平日子过惯了的人，睡觉当然睡得沉些。”

“可是……”

“反正我绝不会弄错的，我们先进去再说。”

“就这样进去？”

“大家都是自己人，怕什么。”

声音虽然是从墙外传来的，但在静夜中听来还是很清楚。

段玉看了看华华凤，悄声道：“这两人好像跟这里的主人是朋友。”

华华凤道：“所以我们只要去问问他，就可以知道这里的主人究竟是谁了。”

她也不等段玉同意，就蹿出了窗子。

外面的两个人正好从墙头上窜进来，两个人都是劲装衣服，显见是赶夜路的江湖人。

他们看见了华华凤，立刻一手翻天，一手指地，摆出了种很奇怪的姿势。

华华凤居然也摆出跟他们一样的姿势。

这两人又同时问了个奇怪的问题：“今天是几月初几。”

华华凤眼珠子一转，道：“二月初二。”

这两人才松了口气，脸上也现出笑容，同时抱拳一礼。

其中一个比较高的人，抱拳说道：“兄弟周森，是三月初三的，到镇江去办事，路过贵宝地，特来拜访。”

华华凤道：“好说好说。”

周森道：“龙抬头老大已睡着了么？”

华华凤道：“他有事到外处去了，两位有什么事，跟我说也一样。”

周森迟疑着，赔笑道：“我们兄弟运气不好，在城里把盘缠都送给了幺二三，久闻龙老大对兄弟们最照顾，所以想来求他周转周转。”

华华凤笑道：“既然是自己人，你们不到这里来，龙老大若知道，反而会生气的。”

周森笑道：“我们若是不知道龙老大的慷慨声名，也不敢来了。”

华华凤转过头，向屋子里的段玉招了招手，然后才道："快拿五百两银子出来，送给这两位大哥作盘缠。"

段玉道："是。"

他只好跳出窗子，将身上的十张银票拿出来，刚准备数五张，华华凤已将银票全抢了过去，笑道："这一点小意思，周大哥就请收下。"

周森接过了银票，喜笑颜开，连连称谢，道："想不到花姑娘比龙老大还慷慨。"

华华凤道："自己人若再客气，就见外了。"

周森笑道："我们兄弟也已久闻花姑娘的大名，今天能见到姑娘，真是走运。"

华华凤嫣然道："两位若是不急，何妨在这里躲两天，等龙老大回来见过面再走。"

周森道："不敢打扰了，我兄弟也还得回去交差，等龙老大回来，就请姑娘代我们问候，说我们三月初三的兄弟，都祝他老人家万事如意，早生贵子。"

华华凤笑道："周大哥善颂善祷，我也祝周大哥手气大顺，一掷就掷出个四五六了。"

周森笑了，旁边一个人也笑了，两个再三拜谢，出去了之后还在不停地称赞，这位花姑娘真够义气，真会做人。

"现在她入会虽然不久，但是总有一天，她一定会升为堂主的，我们兄弟能在她手底下做事，那才有劲。"

等他们的声音去远了，段玉才叹了口气，苦笑道："你出手倒真大方得很，一送就把我全身的家当都送出去了。"

华华凤道："反正你还有赢来的那十万两存在顾道人的酒铺里。"

段玉道："但你又怎么知道我身上随时都带着银子呢？"

华华凤笑道："那天你在花夜来的船上钱财已露了白，我没有把你的金叶子也一起送出去，已经是很客气的了。"

段玉苦笑道："钱财不可露白，这句话看来倒真有点道理。"他叹息着，又忍不住道，"但我还是不明白，这究竟是怎么回事？"

华华凤的表情忽然变得严肃了起来，道："你有没有听过'青龙会'这三个字？"

段玉当然听过，最近这三个字在江湖中简直已变成了一种神秘的魔咒，它本身就仿佛有种不可思议的力量，可以叫人活，也可以叫人死。

华华凤道："据说青龙会一共有三百六十五个分坛，一年也正好有三百六十五天，所以他们一问我今天是几月初几，我就立刻想起了那位从箱子里出来的仁兄说的话了。"

段玉的眼睛也亮了，道："他说湖里有龙，又说今天是二月初二。"

华华凤道："当时我就觉得他的话很奇怪，其中想必另有深意。"

段玉道："所以你也说今天是二月初二。"

华华凤笑道："其实我也只不过是姑且一试，想不到竟被我误打误撞地撞对了。"

段玉道："你认为他们都是青龙会的人？"

华华凤道："当然是的。"

段玉道："那么这地方难道就是青龙会的秘密分坛所在地。"

华华凤道："这里就是二月初二，青龙会的分坛，想必就是以日期来作秘密代号的。"

段玉的眼睛更亮，道："难道僧王铁水就是龙抬头老大？"

华华凤道："很可能。"

段玉道："铁水是个和尚，那姓周的怎么会祝他早生贵子？"

华华凤道："道士可以娶老婆，和尚为什么不能生儿子。"

段玉道："但他们从没有见过你，怎么会如此轻易就相信了你？"

华华凤眨了眨眼，道："你刚才说我这身打扮像干什么的？"

段玉道："像个女贼。"

华华凤笑道："所以他们也将我当作女贼了，你难道没听见他们叫我花姑娘。"

段玉恍然地说道："原来他们将你当作了花夜来。"

华华凤道："所以你并没有找错地方，花夜来和铁水都是这里的主人，他们本就是一家人。"

段玉看着她，忍不住叹了口气，他忽然发现这女孩子比她外表看来聪明得多。

华华凤道："其实这道理你本该早就想得通，只不过你已被人绕住了，所以才会当局者迷。"

段玉苦笑道："你几时也学会夸奖别人了？"

华华凤嫣然道："刚学会的。"

事实上，这件事的确太复杂，就像迷魂阵，假如你一开始就错了，那么无论你怎么去走，走的全是岔路。

段玉本来是站着的，忽然坐了下去，就坐在地上。

华华凤皱眉道："你累了？"

段玉道："不是累，只不过我还有几个问题要问问我自己。"

华华凤也跟着坐了下去，坐在他的身旁，柔声道："你为什么不问我？两个人一起想，总比一个人想好。"

段玉看着她，目光中充满了感激，情不自禁伸出了手。

她也伸出了手。

他们的手轻轻一触，又缩回。

段玉垂下头，又过了很久，才缓缓道："假如铁水真的就是龙抬头老大，那么这件事想必也是青龙会的阴谋之一。"

华华凤道："对。"

段玉道："他们的目的是什么呢，是为了对付我？"

华华凤道："很可能，他们要的也许是你这个人，也许是你身上带着样他们要的东西。"

段玉点点头，已想到身上带着的碧玉刀。

华华凤道："他们设下这些圈套，为的就是要陷害你，让你无路可走。"

段玉道："那么卢小云又是谁杀了的？"

华华凤道："当然也是他们。"

段玉道："但卢九却是铁水的好朋友。"

华华凤道："青龙会的人做事，从来都不择手段，有时连老子都可以出卖，何况朋友。"

段玉道："以铁水的武功和青龙会的势力，本来岂非可以直接杀了我的？"

华华凤道："可是段家在武林中不但名望很高，朋友也很多，他们若直接杀了你，一定会有后患，青龙会做事，一向最喜欢用借刀杀人的法子。"

段玉道："借刀杀人？"

华华凤道："他们本来一定认为卢九会杀了你替他儿子复仇的，但也不知为了什么，卢九却好像很相信你。"

段玉接口道："因为他知道我不是个会说谎的人。"

华华凤道："他怎么会知道，他对你的认识又不深？"

段玉笑了笑，道："但我们在一起赌过，你难道没听说在赌桌上最容易看出一个人的脾气。"

华华凤也笑了，道："这么说来，赌钱好像也不是完全没有好处的。"

段玉沉思着，缓缓道："天下本来就没有绝对坏的事，你说对不对？"

华华凤柔声道："我不知道，我想得没有你这么多。"

段玉苦笑道："但我还是想不出，要怎么样才能证明铁水才是真凶。"

华华凤叹道："这的确很难，这本是死无对证的事。"

段玉道："至少我要先证明他是青龙会的人，证明他跟花夜来是同党。"

华华凤道："你想出了什么法子？"

段玉道："没有。"

华华凤道："青龙会组织之严密，几乎已无懈可击，你若想找别人证明他们是青龙会的，根本就不可能。"

段玉道："我也听说过，好几百年来，江湖中都从未有过组织如此严密的帮会。"

华华凤道："所以我们刚才就算能将周森留下来，他也绝不敢泄露铁水的秘密。"

段玉道："所以我刚才根本连想都没有这么想。"

华华凤道："铁水和花夜来自己当然更不会承认。"

段玉道："当然不会。"

华华凤叹了口气，道："那么你还能想得出什么法子来呢？"

段玉笑了笑，道："现在我还不知道……现在我只知道世上本没有绝对不可能的事。"

华华凤道："你难道真的从来也不相信世上还有你做不到的事？"

段玉道："嗯。"

华华凤看着他，忽然也笑了。

段玉道："你笑什么？"

华华凤道："我笑你，看来你就算真的被人装进箱子里，也不会绝望的。"

段玉笑道："一点也不错。"

华华凤嫣然道："有时连我也不知道，你这人究竟是比别人聪明呢，还是比别人笨？"

段玉道："我自己也不知道，但我却知道我至少总是能比别人活得开心些。"

华华凤道："你还知道什么？"

段玉道："我还知道假如我们就一直坐在这里，绝不会有人自己跑来承认是凶手的。"

华华凤道："你准备到哪里去？"

段玉道："去找铁水。"

华华凤道："你去找他？"

段玉说道："难道只许他找我，就不许我去找他？"

华华凤道："你真的要自己送上门去？"

段玉苦笑说道："我总不能一辈子躲着不见人吧。"

华华凤道："躲几天也不行？"

段玉道："不行。"

华华凤道："为什么？"

段玉道："我一定要在四月十五之前，赶到宝珠山庄去。"

华华凤忽然不说话了。

夜很深很静，淡淡的星光照进窗子，依稀只能看得出她脸上美丽的轮廓，和那双发亮的眼睛。

她眼睛里仿佛有种很奇异的感情。

段玉道："四月十五是朱二叔的寿诞之期，朱二叔是我父亲多年的兄弟。"

华华凤忽然抬起了头，用那双发亮的眼睛瞪着他，问道："你急着赶到宝珠山庄，真是为了要给朱二爷拜寿？"

段玉道："怎么会是假的？"

华华凤垂下头，拉起腰带，用力卷在她纤长的手指上，又沉默了很久，才缓缓道："听说朱二爷有个很漂亮的女儿，她是不是长得真的很美？"

段玉道："我不知道，我没见过。"

华华凤道："听说朱二爷这次做寿，为的就是要选中意的女婿。"她又抬起头，瞪着段玉，冷冷道，"看来你倒很有希望被选上的。"

段玉勉强笑了笑，想说什么，又忍住，想看着她，却又偏偏不敢接触到她的目光。

风吹着树叶，沙沙地响。

他忽然轻轻地叹了一口气，道："你应该回去了。"

华华凤道："你呢？"

段玉道："我去找铁水……"

华华凤冷笑道："难道只许你去找他，就不许我去？"

段玉道："这件事本来就跟你一点关系都没有的。"

华华凤道："本来是没有关系的，但现在却有了。"

段玉终于忍不住转过头来，凝视着她。

她并没有回避他的目光。

星光照进她的眼睛，她眼睛里仿佛带着种说不出的幽怨之意。

她说不出，但他总是看得出的。

他忍不住伸出了手。

他们的手忽然紧紧地握住，这一次他们的手谁也没有缩回去。

她的手那么柔软，又那么冷。

夜更深，更静，星光朦胧，春风轻柔。

大地似已在春光中融化。

也不知过了多久，段玉才缓缓道：“我去找铁水，只因为我已没有别的路可走，我父亲就算能忍受任何事，也绝不能忍受别人将我当作凶手。”

华华凤道：“我知道。”

段玉道：“所以我明知这么做很危险，很愚蠢，也不能不去。”

华华凤道：“我知道。”

段玉道：“其实我并没有对付他的把握。”

华华凤道：“我知道。”

段玉道：“可是你还是要跟我去？”

华华凤咬着嘴唇，道：“我本来可以不去，但现在也已不能不去，你难道还不明白？”

段玉凝视着她，终于长长叹了口气，道：“我明白，我当然明白。”

华华凤嫣然一笑，柔声道：“只要你明白这一点，就已足够了。”

“我们要怎么样才能找到铁水？”

“你根本不必去找他。”

“为什么？”

“因为只要有人看见你，就立刻会通知他来找你。”

“我们现在就去？”

“现在却不是时候。”

“为什么？”

“因为现在根本没有人能看见你。”

“我们难道要在这里等到天亮？”

“假如你真的相信世上没有绝对不可能的事，现在你就该先乖乖地睡一觉。”

段玉真的睡着了。

他还年轻，一个疲倦的年轻人，无论在什么地方都能睡得着的。

何况他正在她身旁。

世上还有什么地方能比这里更温暖、更安全？

一个温柔可爱的女人的怀抱，岂非本就是男人的天堂？

03

春天，艳阳天。

阳光灿烂，天空澄蓝。

段玉觉得精神好极了。

其实他并没有睡多久，可是他睡得很熟，就好像小时候他睡在母亲的怀抱中一样，梦里都带着极温馨的甜美。

醒来时，他发现自己睡在华华凤腿上。

她的腿温暖而结实。

她没有睡，正在看他。

他一张开眼就看到了她，看到了平时总是深藏在她眼睛里的温柔情意。

在这一瞬间，他忽然觉得她已是个真正的女人，已不再是那个专门喜欢找他斗嘴的孩子。

他看着她笑了。

他们笑得愉快而真挚，谁也没有觉得羞涩，谁也没有觉得抱歉。

他枕在她腿上，好像本就是件很自然、很合理的事。

他们的心情也正和窗外的天气一样，新鲜、清洁，充满了希望，充满了光明。

春天的阳光，总是不会令人失望的。

他们走在阳光下。

他们看见了很多人，觉得每个人好像都很快乐，当然，也有很多人看见了他们，当然也觉得他们很快乐。

他们本是令人羡慕的一对，但最被人注意的，并不是段玉，而是华华凤。

穿着一身紧身衣服在路上走的女人并不多，身材像她这么好的女人也不多。

段玉道："别人都在看你。"

华华凤道："哦？"

段玉道："他们为什么不看我？"

华华凤抿着嘴笑道："因为你没有我好看。"

段玉道："可是我值五千两银子。"

华华凤这才觉得有点奇怪了。

她刚才还没有想到，女孩子在被很多人看着的时候，心里又怎么会想到别的事？

华华凤道："也许现在看见你的人，凑巧都没有看见铁水贴出来的那张悬赏单子。"

段玉道："你是在哪里看见的？"

华华凤道："茶馆里。"

无论什么地方的茶馆，通常都是人最杂的地方，现在虽然还很早，但大多数茶馆都已开门了。

“上午皮泡水，下午水泡皮”，最懂得享受的杭州人，早上当然不会耽在家里，吃老婆煮的稀饭。

杭州茶馆里的汤包、蟹壳黄、扬州干丝，本就和广东茶楼里的鱼饺、烧卖一样受欢迎。

段玉一走进这家茶馆，果然立刻就发现自己的尊容被贴在墙上。

奇怪的是，茶馆里的人偏偏还是没有注意他，一双双眼睛还是要盯着华华凤。

这些人难道全都是色鬼，没有财迷？

两个穿着对襟短衫，手里提着鸟笼子的市井好汉，大摇大摆地走了进来，他们选的位子，恰巧就在一张悬赏下。

有个人正抬着头在看段玉的尊容，嘴里也不知在跟他的朋友说什么。

段玉向华华凤递了个眼色，慢吞吞地走了过去，有意无意间往这张悬赏下一站。

提着鸟笼的市井好汉，倒也看了他两眼，却偏偏又转过头去，大声招呼伙计：“来两笼小包，一壶龙井。”

难道他对包子比对五千两银子还有兴趣？

段玉干咳了两声，开始念上面的字：“无论谁发现此人行踪，前来通风报信，赏五千两银整。”下面还有个报信的地址。

段玉好像这才发现别人悬赏招拿的就是他自己，立刻做出很害怕的样子。

谁知这两个人还是当他假的。

段玉忽然对他们笑了笑，道：“你看这上面的人像不像我？”

“不像。”

"一点都不像。"

这两人回答得好干脆。

段玉怔了怔，勉强笑道："可是我自己为什么愈看愈像呢？"

这两人已开始在喝茶，连理都懒得理他了。

段玉真想揪住他们耳朵，问问他们究竟是瞎子，还是呆子。

有个茶博士正拎着个大茶壶在为客人加水。

段玉忽然一把拉住了他，大声道："你看这上面画的人是不是我？"

茶博士拼命摇头，就像是看见了个疯子，吓得脸色发白。

段玉又怔住。

华华凤已走过来，悄悄地拉他衣襟。

段玉眼珠子转了转，故意用很多人都可以听得见的声音道："这上面画的人明明就是我，幸好这些人竟连一个看出来的都没有。"

他一面说，一面用眼角去打量别人。

但满屋子的人好像忽然全都变成了饿死鬼投胎，一个个都在埋头吃他们的点心，谁也没有抬头看他一眼。

段玉已开始觉得有点哭笑不得了。

"这么好赚的五千两银子，为什么竟偏偏没有人赚呢？"

他实在想不通。

华华凤也想不通。

她拉着段玉坐下来，勉强笑道："也许已有人去通风报信了，只不过不敢被你看见而已。"

段玉叹了口气，道："但愿如此。"

于是他们就在这里等，幸好这里的汤包和干丝味道还不错。

等到一笼汤包两碗干丝全都下了肚，居然还是全无动静。

段玉看着墙上的画，喃喃道："难道上面画的真不像我？"

华华凤道：“不像才怪。”

段玉道：“既然很像，他们不去赚这五千两银子，岂非更怪？”

华华凤道：“的确有点怪。”

段玉叹了口气，苦笑道：“假如我不想被人认出来的话，现在满屋子里的人只怕已经全都认出了我。”

华华凤也叹了口气，苦笑道：“世上有很多事本来就是这样子的……”

她的话还没有说完，忽然看见一个人昂然而入，把墙上贴的悬赏，一张张全都撕了下来。

茶馆里的人居然好像全都没看见。

段玉当然看见了。

这人黑黑的脸，眼睛炯炯有神，竟是那最爱多管闲事的乔老三。

段玉正想过去问问他，为什么又来多管闲事，谁知这时又有个他认得的人走了过来。

一个清癯瘦削的独臂道人。

他不等段玉招呼，已走过来坐下，微笑道：“两位今天好清闲，这么早就有空出来喝茶。”

华华凤冷冷道：“道人今天好清闲，这么早就有空出来喝茶。”

顾道人笑道：“听说，有位专喜欢跟人抬杠的姑娘，想必就是这位了。”

段玉也忍不住笑道：“一点也不错。”

华华凤狠瞪了他一眼，居然忍住了，没有找他的麻烦。

因为这时乔老三也已过来，手里拿着从墙上撕下的一叠悬赏，往桌上一搁，笑道：“这已是最后的几张了，我一个人收回来的就有三百多张。”

段玉忍不住问道：“为什么要收回来？”

乔老三道："因为我天生喜欢多管闲事。"

段玉叹了口气，也不能不承认他说的是实话。

华华凤板着脸，道："你既然喜欢多管闲事，现在就请你把它们一张张贴回去。"

乔老三皱了皱眉，道："为什么要将这些废纸贴回去？"

华华凤道："谁说这是废纸？"

乔老三道："我说的。"

华华凤道："你难道不想要这五千两银子？"

乔老三道："我想是想要，只可惜没有人肯给我。"

华华凤道："难道铁水已不想捉他了？"

乔老三道："你现在才知道？"

华华凤怔住，段玉也怔住。

过了半晌，华华凤又忍不住问道："铁水为什么忽然改变了主意？"

乔老三看了她一眼，又看了看段玉，道："你们还不知道？"

华华凤道："知道了为什么还要问你？"

乔老三瞪着他们看了半天，忽然笑了笑，道："这也许只因为他忽然变成了好人。"

华华凤又怔了怔，大声道："不管怎么样，我们还是要找他。"

乔老三好像也怔住了，道："你们要找他？"

华华凤冷笑道："难道只许他来找我们，就不许我们找他？"

乔老三却笑了，道："你们当然可以找他，而且一定能找得到。"

他笑得好像很奇怪、很神秘。

华华凤道："你怎么知道我们一定能找到？"

乔老三道："因为我可以带你们去。"

他果然带他们去了，而且真的很快就找到了铁水。

铁水居然真的变成了个好人。

死人绝不可能再做坏事，所以死人都是好人。

铁水已是个死人。

04

段玉做梦也想不到铁水会忽然间死了，而且死得很惨。

第一个发现他尸身的就是乔老三。

“你是在什么地方发现的？”

“就在大街上。”

“他怎么死的？”

“被人一刀砍下了头颅，他的人倒在街心，头颅却落在一丈外。”

他死得真惨。

“是谁杀了他？”

“没看见，我只看见了杀他的那把刀。”

刀就在棺材上，棺材就停在凤林寺，刀赫然又是段玉那柄碧玉七星刀。

在庙里照料丧事的是卢九。

这个多病的人，在已将垂暮之年，竟在一日之间亲眼看见他的儿子和好友连续惨死在刀下。

惨死在同一柄刀下。

阳光穿过枝叶浓密的菩提树后，已经变得很阴暗。

阴森森的阳光，照在他面前两口棺材上，也照着他苍白的脸。

他看来似乎已忽然老了很多。

到了这里，就连华华凤的心情都变得沉重了起来。

卢九用丝巾掩着嘴，轻轻地咳嗽着，丝巾脏了，可是他已不在乎。

沉默了很久，华华凤终于忍不住道："刀本来是在铁水自己手上的，是不是？"

顾道人道："但他并没有一直带着。"

华华凤道："他将刀留在什么地方了？"

顾道人道："不知道，我只知道在黄昏时刀已不见了。"

华华凤道："我可以证明昨天黄昏时，段玉一直跟我在一起的。"

顾道人道："哦。"

华华凤又接道："除了我之外，还有一个人可以证明。"

顾道人道："还有谁？"

华华凤道："一个我不认得的人。"

顾道人淡淡道："你不认得这个人，但这个人却跟你们在一起？"

华华凤道："因为他是被我们从一口箱子里救出来的，而且受了伤。"

顾道人看了看乔老三，乔老三仰面看着屋梁，两个人脸上一点表情也没有。

华华凤的脸却已急得发红，她自己也知道自己说的话很难让人相信。

现在就算还能找到那个人，也是一样没有用的——一个陌生人说的话，又有谁会相信？

顾道人忽然道："昨天晚上你们在哪里？"

华华凤道："就在铁水那屋子里。"

顾道人道："那里还有人？"

华华凤说道："非但没有人，连东西都被搬空了。"

顾道人道："你们两位就在那栋空房子里待了一夜？"

华华凤的脸更红。

这件事也同样很难让人相信。

顾道人忽然叹息了一声，道："铁水并不是我的朋友。"

乔老三道："也不是我的。"

顾道人抬起头，凝视着段玉，道："但你却是我的朋友。"

段玉慢慢地点了点头，但却没有说什么，因为他实在无话可说。

顾道人道："我们虽然是朋友，但你现在若要走，我也绝不留你。"

段玉很感激。

他当然懂得顾道人的好意，顾道人是在劝他赶快离开这是非之地。

卢九忽然长长叹息了一声，道："你的确已该走了。"

段玉道："我……"

卢九道："这是你的刀，你也可以带走。"他看着棺材上的刀，慢慢地接着道，"因为我也说过你是我朋友，而且我相信你。"

卢九道："到了宝珠山庄，请代向朱二爷致意，就说……就说我父子不能去拜寿了。"

段玉勉强忍耐着，不让盈眶的热泪流出，咬着牙一字字道："可是我并不想走。"

卢九皱眉道："为什么？"

段玉道："因为我不能走。"

卢九道："铁水已去世，这地方现在已没有人再留难你。"

段玉道："我知道。"

卢九道："那么你为什么还不走？"

段玉道："因为我现在若是走了，这一生都难免要被人怀疑是凶手。"

顾道人接着道："可是我们都信任你，这难道还不够？"

段玉道："你们相信我，只因为你们是我朋友，但这世上却还有很多人不是我的朋友。"他凝视着棺上的刀，慢慢地接着道，"何况，这的确是我段家的刀，无论谁用段家的刀杀了人，段家都有关系。"

顾道人道："你想找出真凶？"

段玉点点头。

顾道人道："你有线索？"

段玉道："只有一条。"

顾道人道："一条什么？"

段玉道："一条龙，青龙。"

顾道人悚然动容，道："青龙？青龙会？"

段玉道："不错，青龙会。"

听到了"青龙会"这三个字，每个人的神色仿佛都有点变了。

数百年以来，江湖中的确从未有过像青龙会这么神秘，这么可怕的组织。

这组织真的就像是一条龙，一条神话中的毒龙，虽然每个人都听说过它，而且相信它的存在，但却从来没有人真的看见过它，也从来没有人知道它究竟是什么形态，究竟有多大。

大家只知道，无论在什么地方，好像都在它的阴影笼罩下，无论什么时候，它都可能会突然出现。

有些人近来甚至已觉得随时随地都在被它威胁着，想自由呼吸都很难。

过了很久，顾道人才吐出口气，道：“你认为这件事跟青龙会也有关系？”

段玉点点头，道：“我是初九才到这里的。”

顾道人道：“就是前天？”

段玉道：“不错，前天下午我刚到这里，就遇到了花夜来。”

顾道人道：“听说那时你正在三雅园喝酒。”

段玉道：“花夜来的行踪本来一直很秘密，因为她知道有人正在找她，无论谁若想躲避别人的追踪，都绝不该到三雅园那些地方去的，但那天她却居然在那里露了面。”他笑了笑，接着道，“而且她好像还生怕别人看不到她，所以特地坐在窗口，还特地将窗帘卷起，窗户打开。”

顾道人在沉吟着，说道：“这的确好像有点不太合理。”

段玉道：“铁水的门下，刚巧也在那时找到了她，刚巧就在我面前找到了她！”

顾道人道：“你认为这件事本是他们早已安排好了的？”

段玉说道：“我实在不能相信天下真的有这么巧的事。”

顾道人想了想，道：“这么样说来，铁水和花夜来难道也是早已串通好了的？”

段玉点点头，道：“他们想必早已在注意我的行踪，知道我来了，就特地安排好这出戏，在我面前演给我看。”

顾道人接着道：“但当时你若不去管这件闲事呢？”

段玉叹了口气，苦笑道：“他们想必也已算准了我是绝不会袖手旁观的。”

华华凤忽然也叹了口气，冷哼道：“一个血气方刚、自命不凡的年轻人，又喝了点酒，若是看见几个凶横霸道的大和尚公然欺负一个漂亮的单身女人，怎么可能错过这种英雄救美的好机会？”

段玉苦笑道："何况我当时就算不出手，他们也绝不会就此罢手的。"

华华凤用眼角瞟着他，道："幸好我们的段公子是个好打不平的英雄好汉，所以他们也根本用不着多费事了。"

看来女人若是有了吃醋的机会，她也是绝不肯错过的。

顾道人皱着眉头，说道："他们这么样做，目的何在？"

段玉道："第一，他们本就想除去卢小云，再嫁祸给我。"

顾道人在听着。

段玉道："所以那天晚上他们就叫花夜来先偷走我的刀，去杀了卢公子。"

顾道人道："他们认为卢九爷一定也会杀了你替卢公子报仇的。"

段玉答道："不错，这就叫一石两鸟，借刀杀人之计。"

顾道人道："卢公子身上带着的珍珠和玉牌，难道也是花夜来故意送给你的？"

段玉道："那倒不是，若是她送给我的，我就不会收下了。"他又叹了口气，苦笑道，"她用的是种很巧妙的法子，当时连我都被她骗过了。"

直到现在，他才发现花夜来并不如他所想象中那么笨。

她故意偷了段玉的银票和碧玉刀，故意藏到那花盆里，故意让段玉看到。

然后她才故意装作睡着，让段玉去将那些东西全都偷回去。

她当然也已算准，段玉得手之后，一定会偷偷溜走的。匆忙之中，段玉当然不会发现多了东西，何况那些东西本就在同一袋子里。

等段玉发现东西多了时，就算立刻送回去，她一定已不在那里了，从此之后，段玉一定再也找不到她了。

所以段玉也就没法子再找到任何人能证明那天晚上他在什么地

方。

何况，任何人都知道卢小云是他的劲敌。

一个人为了要娶得那样既富有又美丽的妻子，先在暗中将自己的情敌杀死，并不是一件奇怪的事。

等到卢九发现珍珠和玉牌也在段玉身上时，当然就会更认定他是凶手了。

顾道人叹息着，道："看来他们这一计，本来的确可以算是天衣无缝、万无一失的了。"

段玉道："只可惜他们还是算错了一着。"

顾道人道："哦！"

段玉道："他们没有想到，卢九爷竟会在赌桌上认得了我，而且把我当作朋友。"

卢九一直在听着，表情痛苦而严肃，此刻忽然道："铁水本来也是我的朋友。"

段玉道："我知道。"

卢九道："他小时候本是我的邻居，十二岁时才投入了少林寺。"

其实铁水本是他们家一个老人家的儿子，就为了觉得自己的出身低贱，所以才会养成一种偏激又自大的性格。

有自卑感的人，总是会故意装得特别自大的。

人们为了保护自己心里的弱点，通常都会做出一些奇怪的事。

卢九道："他不惜出家做了和尚，就是为了想学少林的武功，出人头地，所以他在少林练武时，比任何人都肯发奋刻苦。"

段玉道："所以他才能练成那一身好武功。"

卢九道："我一向很了解他，也相信他绝不会和花夜来这种女人同流合污。"

段玉接口道："但你想必已有很久未曾见过他了。"

卢九叹道："的确已有很多年，所以这次他邀我到这里来相见，连我都觉得很意外。"

段玉说道："经过了这么多年之后，人往往是会变的。"

卢九道："就算他已变了，但少林寺一向最重清规，他在少林待了三十年，最近才入江湖，又怎么会认得花夜来这种女贼。"

段玉沉吟着，道："以他的性格，当然不会跟花夜来结交的。"

卢九道："绝无可能。"

段玉道："他结交的并不是花夜来，而是'青龙会'。"

卢九皱眉道："青龙会？"

段玉道："他一怒离开了少林寺，为的就是知道自己在少林寺已无法出头，所以想到外面来做一番惊天动地，轰轰烈烈的事。"

卢九道："不错。"

段玉道："可是他一个人孤掌难鸣，何况他出家已久，对江湖中的人和事必定都很陌生，要做大事，就必定要找个有力的帮手。"

卢九沉吟着，终于点了点头。

段玉道："青龙会想必就利用了他这弱点，将他吸收入会了。"

卢九说道："以他的脾气，又怎肯甘心被人利用？"

段玉道："因为他也想利用青龙会，有些人的结交，本就是因为要互相利用的。"他叹了口气，"青龙会要人有人，要钱有钱，这无论对谁来说，都是种很大的诱惑，何况他这人本来就很偏激。"

卢九不说话了。

他也知道段玉非但没有说错，而且说得已经很客气了。

这次他见了铁水后，也已觉得铁水有些事做得太过分，有时甚至已令人无法忍受。

可是他原谅了铁水，因为他始终认为铁水是个英雄。

英雄的行径，总是和常人有些不同的。

段玉道：“只可惜铁水虽强，青龙会更强，所以他入了青龙会后，就渐渐被人控制，渐渐不能自主，要被迫做一些他本不愿做的事，这时他纵然还想脱离青龙会，也已太迟了。”

因为这时他已习惯了那种奢侈的享受，习惯了要最好的女人，最好的酒。

也许他自己心里也觉得自己做得不对，也在恨自己的堕落。

所以他就更堕落，更拼命去寻找刺激和享受，只为了要对自己报复。

所以他才会被青龙会吞下去。

卢九叹息着，黯然道：“他出家为僧，只是为了要出人头地，并不是真的想皈依佛门，这一点就已错了。”

段玉道：“不幸他一错还要再错，竟又入了青龙会。”

卢九叹道：“青龙会实在太强、太大，无论谁加入了他们，都难免要被吞下去。”

段玉也不禁叹息。

顾道人已沉默了很久，这时才忽然问道：“你认为这件事就是青龙会主使铁水来做的。”

段玉道：“想必如此。”

顾道人道：“据说青龙会的分坛，一共有三百六十五处，杭州想必也是其中之一。”

段玉道：“不错。”

顾道人道：“铁水莫非就是这里的堂主？”

段玉道：“我本来也以为是他。”

顾道人道：“现在呢？”

段玉道：“现在我已知道另有其人，铁水在这里，也一直在被这个人监视着，所以，这件事出了意外后，他就立刻被这人杀了。”

顾道人道："为什么要杀他？"

段玉道："为了灭口，也为了立威。"

顾道人道："立威？"

段玉道："替青龙会做事的人，不成功，就得死！纵然只不过出了一点差错，也得死！"他叹息着，接着道，"所以替青龙会做事的人，没有一个敢不尽力的。"

顾道人叹道："也许这就是青龙会所以能成功的原因。"

段玉道："但这件事他们并没有成功。"

顾道人点点头展颜笑道："你现在不但还好好地活着，而且说要走，就可以走……"

段玉打断了他的话，道："但我若真的走了，他们就成功了。"

顾道人道："为什么？"

段玉笑了笑，道："他们这次计划，最大的目的就是要除去我和卢小云。"

顾道人道："不错。"

段玉道："现在卢公子已死了。"

顾道人道："不错。"

段玉道："我虽然还活着，也等于死了。"

顾道人道："为什么？我还是不懂。"

段玉道："因为我已是个凶手，至少还无法证明我不是凶手，所以我就算还有脸到宝珠山庄去，想必也是空走一趟的。"

顾道人恍然道："不错，朱二爷当然不会要一个有凶手嫌疑的人做女婿。"

段玉苦笑道："一个有凶手嫌疑的人，无论走到哪里，也不会被人看重的，就算突然暴毙在长街上，也没有人会同情。"

顾道人道："所以我认为他们随时随地都可能暗算你。"

段玉叹道："而且他们杀了我之后，还是可以将责任推到卢九爷身上，因为卢九爷不愿正面跟段家结仇，却又不甘儿子惨死，所以就只有找人来暗算我，这岂非也很合理？"

顾道人看着他，忽然长长叹息了一声，道："我真看错了你。"

段玉道："看错了我？"

顾道人笑道："我本来以为你是个吃喝嫖赌，样样精通的花花大少，后来想法虽然变了，却还是没有想到你竟是这么样一个人。"

华华凤总该也已有很久没有开口，忽然插口道："你看他是个怎么样的人？"

顾道人微笑道："他看来虽然像是个什么事都不懂的大少爷，其实他懂的事简直比我们这些老狐狸还多。"

华华凤忍不住嫣然一笑，道："这个人最大的本事，就是扮猪吃老虎，谁若认为他真是个呆子，那就错了。"

她眼睛里发着光，脸上也发着光。

顾道人笑道："所以我若是朱二爷，不选他做女婿选谁？"

华华凤的脸色忽然就沉了下去，冷冷道："只可惜你不是。"

卢九轻轻地咳嗽着，慢慢地站了起来。

天色似暗了，风中似已有了寒意。

他站在风里，凝视着那口棺材，缓缓道："这里面躺着的人，是我的儿子。"

没有人说话，没有人知道该说什么。

卢九缓缓道："他虽然并不十分聪明，也不能算很老实，但是我却只有这么样一个儿子。"

儿子总是自己的好，这不必他说，无论谁都能了解的。

卢九道："他母亲最了解他，知道这孩子天生的脾气倔强，冲动好胜，在江湖中最容易吃亏，所以临死的时候，再三求我，要我特别照顾他。”他脸色更苍白，声音也已有些嘶哑，惨然接着道，“她十六岁进卢家的门，克勤克俭，辛苦持家十几年，直到临死时只不过求了我这么一件事，而我……我竟没有做到。”

段玉垂下了头。

他了解这种心情，他也有个母亲。

卢九凝视着他，缓缓道：“我告诉你这些话，只不过想要你知道，我也同样希望能找出真凶来，为这孩子复仇的，我希望复仇的心，比你更切。”

段玉垂首道：“我明白。”

卢九道：“但是在没有真凭实据时，我们绝不能怀疑任何人是凶手。”

段玉道：“我明白。”

卢九道：“你不明白。”

段玉道：“为什么？”

卢九道：“我的意思是说，青龙会纵然多行不义，我们也不能怀疑它。”

段玉忍不住又要问：“为什么？”

卢九道：“因为我们心里若有了成见，有时就难免会做错事的，但青龙会实在太强，太大，我们只要做错了一件事，就难免也要被它吞下去。”

段玉肃然道：“你老人家的意思，现在我已完全明白了。”

卢九道：“你明白了就好。”

他没有再说什么，用丝巾掩着嘴，轻轻地咳嗽着，慢慢地走了出去。

风迎面吹来，吹在他身上。

他弯下了腰，连这一阵风他都似已禁不起了。

走到门口，他竟已咳嗽得连腰都直不起来。

这时风中忽然传来了一阵很沉重的叹息声……

停灵的地方，是在凤林寺的偏殿里，殿外是个小小的院子，院子里种着紫竹和菩提树。

这叹息声，就是从紫竹林中发出来的。

听到了叹息声，卢九的脸色忽然变了，轻叱道："什么人？"

叱声中，他的人已箭一般窜了出去。

这垂老而多病的人，在这一瞬间，竟似忽然变成了一只鹰。

也就在这一瞬间，只听得竹叶"哗啦啦"一响，也有条人影从竹林中箭一般窜出去，身形一闪，已到了院墙外。

卢九的身法虽快，这人也不慢。

墙外也有片树林，枝叶长得正密，等卢九掠出去时，这人已看不见了。

不知何时，阳光已被乌云掩没，风中的寒意更重。

现在毕竟还是初春。

卢九遥望着远山，痴痴地站在那里，脸上带着种很奇怪的表情，谁也看不出他心里在想什么。

段玉也看不出，所以忍不住问道："你看出了他是谁？"

卢九迟疑着，点了点头，忽然又摇了摇头，这究竟是什么意思，还是没有人懂得。

那人究竟是谁?

为什么要躲在竹林中暗中窥伺? 又为什么要叹息?

莫非卢九已看出了他是什么人，对自己却又不愿说出来。

段玉叹了口气，道："无论如何，我看这人并没有恶意。"

华华凤道："没有恶意为什么要逃？"

段玉解释道："也许他只不过不愿被人看见而已。"

可是他为什么不愿被人看见呢，难道他也有什么不可告人的苦衷？

华华凤忽又道："我倒觉得他很像一个人。"

段玉道："像谁？"

华华凤道："他的脸我虽然看不清，但他身上穿着谁的衣服，我总能看得出的。"

段玉道："他穿的是什么衣服？"

华华凤问道："你难道真的认不出那是谁的衣服？"

段玉忽然不说话了。

他当然不会认不出那是谁的衣服，事实上，他看得很清楚，那人身上穿着的，正是华华凤在女扮男装时穿的紫绸衫。

她落水时穿的还是这身衣服，临去后才换下来的，就随手抛在门后。

段玉记得昨天晚上他们出门时，还看见这套衣服在那里。

华华凤压低了声音，冷笑着道："你不用瞒着我，我知道你一定也已看出他就是那位被人装在箱子里的仁兄了。"

段玉淡淡道："你既然没有看清他的脸，最好就不要随便怀疑别人。"

华华凤撇了撇嘴，冷笑道："我偏要怀疑他，说不定他跟这件事也有很大关系，否则为什么要偷偷摸摸地不敢见人？"

段玉笑了笑，只不过笑了笑，连一个字都不再说。

他早已在他父亲那七大戒条之外，又加了一条——绝不跟华华凤抬杠。

华华凤却还是不肯放松，还是在冷笑着道："人家刚说你聪明，你是不是就真的觉得自己很聪明，难道别人就都是笨蛋？难道我也是个笨蛋？”

段玉虽然没有承认，却也没有否认。

华华凤的火气更大，手插着腰，大声道：“你若真的以为你自已很聪明的话，你就错了，其实你知道的事，还没有我一半多。”

段玉还是拿定主意不开口，顾道人却恰巧走了过来，已经在微笑着问道：“姑娘还知道些什么？能不能说出让大家听听？”

华华凤狠狠地瞪着段玉，说道：“我本来不想说，可是这个人实在太小看我了，我实在受不了他这种气。”

顾道人虽然没有帮腔，眼睛里却带着种同情了解之色，好像也在为她抱不平。

华华凤道：“解铃还须系铃人，要解开这秘密，就一定要先找到花夜来。”

顾道人立刻表示同意。

这意见本就是谁也不能反对的。

华华凤冷冷道：“可是你们能不能找得到花夜来呢？你们这些人，又有谁知道她在哪里？”

顾道人眼睛里已发出了光，试探着问道：“姑娘你莫非知道她在哪里？”

华华凤用眼角瞟着段玉，道：“现在就算我说知道，你们也不会相信的，因为你们根本还不知道我究竟是什么人，究竟是什么来历。”

她究竟是什么人？

难道她还有什么惊人的来历？

大家都只有转过头，眼睁睁地看着段玉，好像希望他能回答这问题。

段玉却只有苦笑。

他也不知道。

华华凤道：“我知道你们的想法一定也跟他一样，一定也都认为我只不过是个什么都不懂，只喜欢抬杠的小姑娘。”她又在冷笑，“可是你们为什么不想想，我怎么会忽然出现在这里的？为什么也恰巧是在那时候出现的？这件事本来跟我连一点关系都没有，我为什么偏偏要来多管闲事？”

大家仔细一想，立刻全都发现这实在是件很奇怪的事。

华华凤这名字，以前从来也没有人听说过，更从来也没有人看见过她。

她这人就好像是忽然从天上掉下来的，而且恰巧是在初九那一天的黄昏掉下来的，恰巧正掉在段玉旁边。

天下哪有这么巧的事？

这其中当然一定另有秘密。

连卢九都已忍不住在问：“姑娘究竟是什么来历？什么身份？”

华华凤迟疑着，好像还在考虑，是不是应该将真相说出来。

她毕竟还是说了出来：“你们有没有听说过，六扇门中，有位独一无二，空前绝后的女捕头，号称当世三大名捕之一，叫‘七爪凤凰’的人？”

大家当然全都听说过。

他们本就全都是见闻渊博的人，何况这位“七爪凤凰”，也的确很有名。

据说她近年来破的巨案之多，已不在昔年的天下第一名捕神眼鹰之下。

华华凤又问道：“你们有没有见过这位七爪凤凰？”

大家都摇了摇头：“没有。”

华华凤悠然道：“那么你们现在总算是已见到了。”

顾道人动容道：“你就是七爪凤凰？”

华华凤淡淡道："正是区区在下。"

顾道人道："你到这里来，为的就是捉拿那女贼花夜来？"

华华凤点点头，道："她犯的案太多，我们早就在注意她了。"

顾道人叹了口气，苦笑道："看来我们实在是有眼无珠，姑娘你也实在是真人不露相。"

华华凤道："其实我早已到这里来了，早已盯上了那女贼，只不过，这本是我们六扇门里的事，我本不想叫你们插手的。"

顾道人道："难道姑娘你早已查出了那女贼的藏处？"

华华凤傲然道："那女贼的确比狐狸还狡猾，只可惜流年不利，偏偏遇上了我。"她又在用眼角瞟着段玉，"你以为你很会装傻，其实我装傻的本事，比你还强一百倍，那女贼也一直以为我只不过是个什么事都不懂的小姑娘，完全没有警觉，所以才会落在我手里。"

段玉还是只有苦笑。现在他当然更没有话说了。

华华凤道："我知道她这两天为了躲避风声，暂时绝不会动的，所以我本来预备等到帮手来齐了之后再去下手。"她也叹了口气，接着道，"只可惜现在我既然已将这秘密说了出来，就已不能再等到那个时候了。"

顾道人道："我们也绝不会让姑娘真等到那时候，姑娘若是要找帮手，我们都愿意效劳。"

华华凤道："我知道，为了你们自己，你们也绝不会再袖手旁观的。"

顾道人道："却不知道姑娘要在什么时候下手呢？"

华华凤神情已变得很严肃，说道："我也知道你们绝不会走漏这消息的，可是为了预防万一，今天晚上我已非下手不可，而且从现在起，听到了这秘密的人，都绝不能再离开我的身边，也绝不许再跟别人说话。"

她居然似已变成了另外一个人，变得又谨慎、又沉着。

卢九肃然道："从老朽这里起，我们大家一定都唯姑娘之命是从。"

华华凤又瞪了段玉一眼，道："你呢？"

段玉苦笑道："我本来就一直都很听话的，你要我往东，我从来也不敢往西。"

华华凤居然还是板着脸，冷冷道："很好，只不过……"

卢九、顾道人、乔老三，立刻同时问道："只不过怎么样？"

华华凤道："为了万无一失，我们一定还得另外找个帮手。"

卢九又问："找谁？"

华华凤道："江南霹雳堂的堂主。"

卢九道："王飞？"

华华凤点了点头，道："要捉狐狸，随时都可能要用霹雳堂的火器。"

其实她自己现在看来也很像是条狐狸，而且是条老狐狸。

连段玉看着她的神态，都好像显得很佩服。

华华凤沉吟着又道："却不知他是不是肯来管这件闲事？"

顾道人立刻道："我保证他一定肯的，他本来就是个喜欢管闲事的人。"

华华凤道："你能找得到他？"

顾道人笑道："要找别人，我也许还没有把握，要找王飞，那简直比猫捉老鼠还容易。"

05

要找王飞的确很容易，因为他就在凤林寺外顾道人的那小酒铺喝酒。

那位风姿绰约的女道士，正在旁边陪着他。今天她心情仿佛很好，又喝了两杯酒，显得更容光焕发，明艳照人。看来顾道人实在是个有福气的人，能娶到这种老婆的男人并不多。

顾道人已经将王飞拉到旁边，只说了几句话，王飞已经在不停地点头。

女道士用眼角瞟着他们，忍不住道：“你们两个嘀嘀咕咕的在搞什么鬼？是不是又想偷偷摸摸地去找女人？”

顾道人笑道：“我们绝不会找太多的，每日最多只找三个。”

女道士瞪了他一眼，又嫣然道：“那么我也不会找太多的。”

顾道人道：“你找什么？”

女道士道：“你们出去找女人，我难道不会在家里找男人？”

顾道人道：“幸好这附近全都是和尚。”

女道士淡淡道：“莫忘了和尚也是男人，女道士配男和尚，岂非正是再好也没有。”

顾道人大笑，居然一点也不着急，更不吃醋，无论谁都看得出，他一定很信任自己的老婆。

华华凤也觉得很满意，因为她已发现这个人的确是守口如瓶，就算在自己老婆面前，都绝不漏一丝口风。

王飞却叹了口气，道：“我实在很佩服你。”

顾道人道：“佩服我？我有什么好佩服的。”

王飞道："你至少有一点比我强。"

顾道人道："哦？"

王飞道："我若娶了个这么漂亮的老婆，我就绝不会放心让她一个人留在家里的。"

顾道人又大笑，道："难怪你总是趁我出去时到这里来喝酒，原来你看上了她。"

女道士也笑了，咬着嘴唇，瞟着王飞，道："他既然这么说，我们下次就送顶绿帽子给他戴戴，看他怎么办？"

本来是艳阳高照的天气，突然变得阴云密布，接着，竟有雨点落了下来……

第五章

天公作美

01

雨下得还不小。

看看檐前的雨滴，大家都不禁皱起了眉。

华华凤却笑了，道："这倒真是天公作美。"

顾道人皱眉道："你喜欢下雨？"

华华凤道："别的时候不喜欢，现在这场雨却下得正是时候。"

顾道人不懂："为什么？"

华华凤道："你们都是这地方的名人，目标都不小，无论走到哪里，都难免惹人注意，要易容改扮，一时也不容易。"

她微笑着，又道："可是这场雨一下，问题就全都解决了。"

顾道人更不懂，别人也不懂。

华华凤却已将墙上挂着的一副蓑衣笠帽子拿下来，笑道："穿上了这件蓑衣，戴上了这顶笠帽，还有什么人认得出你们是谁？"

有很多人都认为，西湖的妙处，就是不但宜春，也宜冬，不但宜雨，也宜雪。

坐着宽敞的画舫，穿着干净的衣裳，在湖上观赏雨景，的确是件很风雅、很美的事。

可是穿着蓑衣，戴着笠帽，淋着雨，踏着泥，去捉拿江湖大盗，那就完全是另外一回事了。

湖畔有个六角亭，亭子里有个卖茶叶蛋和卤豆干的老人，正在看着外面的雨发怔。

雨点打在湖面上，就像是一锅煮沸了的汤，他这一天的生意也泡了汤。

华华凤道："大家不如先吃几个蛋，填填肚子，今天能不能吃得到饭，还是问题。"

顾道人道："我们为什么不先到楼外楼吃了饭再去？"

华华凤冷冷地道："干我们这一行的人，本就已吃惯了苦的，你们既然要跟我去办案，就也得受点委屈。"

顾道人不说话了，愁眉苦脸地买了几个蛋，慢慢地吃着。

雨下得更大了。

华华凤道："大家最好是多买几个蛋，在路上吃。"

卢九道："我们现在就动身？"

华华凤道："现在时候已经不早了，路却并不近。"

乔老三也不禁压低了声音，问道："那地方究竟在哪里？"

华华凤伸手往湖岸对面的山峰指了指，道："就在那边。"

乔老三道："好，我去找条大船，我们先坐船去。"

华华凤道："不行。"

乔老三怔了怔："为什么不行？"

华华凤板着脸道："湖上的船家，每个人都可能是青龙会的眼线，我们绝不能冒一点险。"

乔老三还想再说什么，看见她冷冰冰的脸色，就什么也不敢说了。

段玉忽然走到她身边，悄悄道："你知道你现在看来像是个干什么的？"

华华凤道："还像个女贼？"

段玉笑道："现在你当然不像女贼了，只不过像是个女暴君。"

大家既不能施展轻功，又不能露出形迹，只有在泥泞中深一脚、浅一脚地走着，走了一段路，天已黑了，走到对岸的山脚时，夜已很深。

这座山既不是栖霞，也不是万岭，山路崎岖，就算在春秋佳日，游山的人都很少。

在这种雨夜里，一个没有毛病的人，更是绝不会上山去的。

卢九、顾道人、乔老三、段玉、王飞，这些人的神经都正常得很，连一点毛病都没有。

但现在他们却只有跟着华华凤上山。

因为每个人都知道，要解开这秘密，就一定要抓住花夜来。

只要能破了这件案，无论要他们吃什么苦，他们都是心甘情愿的。

只不过，这个要命的花夜来，实在是一个害人精，什么地方都不躲，偏偏却要躲在这种要命的地方。

雨还是没有停，而且连一点停下来的意思都没有。

江南的春雨，本就像离人的愁绪一样，割也割不断的。

新买的蓑衣和笠帽，好像并不太管用。

大家的衣裳都已湿透，脚上更满是泥泞。

上了山之后，泥更多，路更难走，风吹在身上，已令人觉得冷飕飕的，刚才吃的那几个蛋，现在也不知到哪里去了。

每个人都觉得又冷，又饿，又累，但却也只有忍受着。

因为本是他们心甘情愿的。

好不容易才爬到山腰，华华凤才总算停下来，歇了歇气。

她也是个人，她当然也累了。

王飞忍不住问道：“到了没有？”

他说话的声音已压得很低，华华凤却还是板着脸，瞪了他一眼。

这位声名赫赫的霹雳堂主人，居然也吓得不敢开口了。

就在这时，山道上忽然传来一阵脚步声。

华华凤立刻一挥手，窜入了道旁的树林，整个人伏倒在地上。

大家立刻全都跟着她窜进去，伏下来。

地上的泥又湿又冷，大家都似已完全感觉不到，因为脚步声已愈来愈近，终于到了他们面前。

从杂草中看出去，只见一个披着蓑衣的老樵翁，摇摇晃晃地从山上走下来，一只手拿着把破伞，一只手提着个酒葫芦。

看来他已经喝得太多了，连路也走不稳，嘴里还在醉醺醺地自言自语，好像还准备到山下去打酒。

就因为他已喝得差不多了，所以在这种天气里，还要下山去打酒。

一个人若已喝到有了六七分酒意时，要他停下来不喝，实在比要馋猫不偷鱼吃更难。

——难道这老酒鬼也是青龙会的属下，花夜来的眼线？

大家都屏住了呼吸，连动都不敢动。

他们都已是老江湖了，打草惊蛇这种事，他们当然是不会做的。

好不容易总算等到这老酒鬼走下山坡，渐渐连脚步声都已听不见了。

王飞才忍不住道：“难道他……”

“嘘——”他刚说了三个字，就立刻被华华凤打断。

绝不许开口，绝不许出声，若是惊动了花夜来，这责任谁担当得起？

大家只有沉住气，爬在泥泞中，等着，每个人都觉得自己就像是条无家可归的野狗。

也不知等了多久，华华凤总算站了起来，打着手势，要他们接着往山上走。

这时他们不但脚上有泥，身上也全是泥，段玉这一辈子从来也没有这么狼狈过。

可是别人却居然还是连一点埋怨之色都没有，就连卢九爷这么样喜欢干净的人，都毫无怨言。

每个人都只希望能抓住花夜来那女贼，为卢小云复仇，为段玉洗刷冤名，为大家出口气。

每个人都很信任华华凤，这位鼎鼎大名的七爪凤凰，办案时果然是步步为营，小心谨慎，令人不能不佩服。

山上更黑，更冷。

华华凤忽然又停下来，伏在树林里。

林外有一片危崖，危崖下居然有两间小木屋，里面还燃着灯。

——难道这就是花夜来的潜伏处？

大家伏在地上，更连大气都不敢出了，只希望能赶快冲进木屋去，一下子将花夜来捉住。

华华凤却还是很沉得住气，看来她已打定主意，不等到十拿九稳时，她绝不轻举妄动。

木屋里连一点动静都没有。

他们又等了很久，就像是等了一百年似的，华华凤才终于悄悄道："我一个人先进去，你们在外面将木屋围住，等到我招呼时，你们再闯进去。"

她为什么要一个人孤身进去涉险？为什么不索性一起闯进去？

大家都不懂。

可是她既然这么说，就一定是有道理的，大家都只有听着。

华华凤身形已掠起，就像是道轻烟般，掠了过去。

这位七爪凤凰，功夫果然不弱。

只见她在木屋外又听了听动静，才一脚踢开门，扑了进去。

这时大家也全都展动身形，围住了木屋。

每个人的身法都很快，每个人都是武林中一等一的高手。

看来花夜来这次就算真是条狐狸，也是万万逃不了的了。

忽然间，木屋里“砰”的一声，华华凤在厉声大喝：“花夜来，看你还能往哪里走？”

顾道人、王飞、乔老三，都已沉不住气了，已箭一样窜出去，闯入了木屋。

然后三个人就全都怔住。

木屋里只有一个人——一个华华凤。

02

木屋里又脏又乱，还带着一阵阵劣酒的臭气。

屋角堆着一堆柴，桌上点着盏破油灯。

华华凤正悠悠闲闲地坐在灯畔，用一块干布擦着头发上的雨水。

“花夜来呢？”

“不知道。”

王飞第一个叫了起来：“你也不知道？”

华华凤悠然道：“我既不是她同党，也不是她朋友，她在哪里，我怎么会知道？”

王飞怔住。

每个人全都怔住。

顾道人终于忍不住道：“可是你自己明明说，你已查出了她的下落。”

华华凤嫣然一笑，道：“那是骗人的，完全都是骗人的。”

顾道人又怔住。

华华凤道：“我既不是七爪凤凰，也不是女捕头，我只不过是个专门喜欢抬杠的小姑娘而已，你们这些老江湖难道真的看不出？”

顾道人看看自己身上的一身泥，哭也哭不出，笑也笑不出。

他忽然觉得自己简直是个呆子，是个白痴。

别人的感觉，当然也跟他差不多。

五个大男人，竟被一个小姑娘骗得团团乱转，这滋味实在不好受。

华华凤忽然道：“我这么样做，只不过是在试探试探你们。”

“试探我们？”

华华凤道：“我总怀疑你们之中，就有一个是龙抬头老大，他才知道花夜来的下落，才知道我是骗人的，我这么样做，他心里当然有数，就算肯跟着我受这种冤枉罪，也一定难免会露出些破绽来，我就一定能看得出。”

顾道人忍不住叹了口气，道：“现在你看出来没有？”

华华凤道：“没有。”

她又嫣然一笑，道：“看来你们全都是货真价实的好人，我以前根本就不该疑心你们的。”

一个笑得这么甜的女孩子，在你面前，说你是个大好人，你还能发得出脾气来么？

卢九也只有叹息一声，苦笑道：“现在姑娘你还有什么吩咐？”

华华凤道：“只有一样了。”

她眨着眼睛，微笑着道：“现在大家最好是赶快回家去，洗个热水澡，喝碗热汤，舒舒服服地睡一觉。”

03

小楼上的窗子还是开着的，灯却已灭了，雨已停了。

他们摇着原来坐出去的那条小船，又回到这里来，一路上段玉连半个字都没有说。

华华凤偷偷地瞟着他，搭讪着道：“不知道那位被人装在箱子里的仁兄还在不在？”

段玉还是板着脸，不开口。

华华凤道：“你猜他还在不在？”

段玉不猜。华华凤忽然跳起来，大声道：“你生什么气？凭什么生气？我这么做，难道不是为了你？你受了罪，我难道没有在受罪？你一身泥，我难道不是一身泥？”

段玉忽然也跳了起来，大声道：“谁说我在生气？”

他一叫，华华凤反倒怔住：“你既然不是在生气，一张脸为什么板得像棺材板一样？”

段玉大叫道：“因为我心里不高兴。”

华华凤道：“为什么不高兴？”

段玉道：“你若是我，你会不会高兴？”

华华凤说不出话来了。

无论谁遇着段玉遇见的这种事，心里都绝不会很愉快的。

华华凤终于轻轻地叹了口气，柔声道："现在你准备怎么样？"

段玉道："不知道。"

他跳起来，掠上了小楼，拔开了门闩，冲出去——他也想看看那位被人装在箱子里的仁兄还在不在。

那个人居然还在，居然正坐在外面的小厅里，吃昨天剩下的包子，喝剩下来的酒。

他身上穿的，还是他从箱子里出来时，穿的那套内衫裤，还是赤着一双脚，脸色却比昨天更苍白、更憔悴。

段玉也坐下来，开始吃包子、喝酒。

这人忽然笑了笑，道："包子还没有臭。"

段玉也笑了笑，道："肉也没有臭，虾也没有臭，鱼丸也没有臭，我的人却臭了。"

这人微笑道："看来你好像也被人装进箱子里去过，而且还是口漏水的箱子。"

段玉叹道："我情愿被人装在箱子里，那至少比被人骗得像土狗一样满地打滚好。"

这人道："你被谁骗了？"

"被我。"

华华凤背负着双手，施施然走了出来，淡淡地道："他的确是被我骗得白滚了一个晚上，可是这件衣服……"

她忽然扬起了手，手里拿着的，正是她女扮男装时穿的那件紫绸衫。

现在这件紫衫上竟也全是泥。

华华凤眼睛盯着那人，冷冷地说道："这件衣裳本该好好地躺在屋里睡觉的，怎么会也滚了一身泥，难道它自己会长出脚来走出去？先到凤林寺去鬼鬼祟祟地偷听，再鬼鬼祟祟地跟着我们去打滚？"

这人苍白的脸，已变得有点发红。

华华凤冷笑道："衣服上当然不会长出脚来的，你身上却有脚。"

她瞪大了眼睛，瞪着这个人，忽然大声道："我问你，你为什么要跟我们到凤林寺去，又跟着我们上山？难道你也想找花夜来？你究竟是什么人？跟这件事有什么关系？"

这人已发红的脸，忽然又变得苍白，好像想说什么，却又偏偏说不出。

窗外面落着雨水，忽然响起了一阵摇船声。

段玉和华华凤不由自主，想到那小屋中去看看，这脸色苍白的神秘少年，却已突然凌空翻身，箭一般窜出了门外。

也就在这时，一个人已从窗外的湖面上，箭一般窜了进来。

一个瘦削、修长、面容清癯、神情严肃的老人，赫然正是卢九。

他身上的衣服也还没有干透，也还带着一身泥，一张脸也板得像棺材板一样。

华华凤吃惊地看着他，勉强笑了笑，道："你还没有回去？"

卢九冷冷道："我还没有回去。"

段玉笑道："幸好这里还有酒，喝两杯驱驱寒气如何？"

卢九冷冷道："我不是来喝酒的。"

看他的脸色，无论谁都看得出他绝不是来喝酒的。

华华凤眼珠子转了转，笑道："不来喝酒，来干什么？"

卢九道："来杀人。"

华华凤笑不出来了："来杀人，杀谁？"

卢九道："老夫一生，恩怨分明，铁水是我至交好友，小云是我独生爱子，无论谁杀了他们，我都不会让他活过今夜。"

段玉也笑不出了。

华华凤道："你是来杀他的？你明明知道杀人的真凶并不是他！"

卢九冷笑道："杀人的刀，是段家的碧玉七星刀，杀人的凶手，不是他是谁？"

华华凤怔住。

她实在想不通卢九为什么会忽然间改变了主意的。

卢九道："我的确不愿与段飞熊结仇，但杀子之仇，也不能不报。"

华华凤道："所以你当着别人的面，虽然故作仁义，别人一走，你就想来要他的命。"

卢九道："不错。"

华华凤道："你不怕杀错了人？"

卢九道："纵然杀错了一万个人，不能放走一个。老夫一生纵横江湖，杀人无数，纵然杀错个把人，也是寻常事。"

华华凤冷冷道："你不怕别人杀错了你？"

卢九淡淡道："老夫年过半百，今日既然来了，就早已将生死两字置之度外。"

他目光刀锋般盯着段玉，突然厉声道："亮你的碧玉七星刀，只要你有此手段，不妨将老夫的头颅也割下来，做你的饮酒器。"

段玉叹了口气，苦笑道："我喝酒一向只是用酒杯喝的。"

卢九道："我却想用你的头做酒杯，盛满你的鲜血做酒，祭我的亡子英魂。"

他的声音已嘶哑，一双眼睛钉子般盯在段玉的咽喉上，一双瘦骨嶙峋的手，已鹰爪般扬起，仿佛恨不得一爪洞穿段玉的咽喉。

无论谁都看得出，他已将数十年性命交修的内力，全都凝聚在这双手上，只要一着击出，必定是致命的杀着。

就在这时，突听一个人大喝道："你千万不能出手，千万不能杀错人！"

喝声中，一个人从门外直窜了进来，竟又是那脸色苍白的神秘少年。

这少年究竟是谁？

他怎么会知道卢小云不是死在段玉手下的？怎么会知道卢九杀错了人？

他当然知道。

这世界也许已只有他一个人能证明卢小云不是死在段玉手下的。

因为他就是卢小云！

04

卢小云竟没有死！

看见自己明明已死了的儿子，又活生生地活在自己的面前，卢九居然并没有露出丝毫惊奇欢喜之色。

卢小云已跪下，垂着头跪在他面前："孩儿不孝，让你老人家担心。"

卢九还是沉着脸，冷冷道："我并没有为你担心，我知道你没有死。"

华华凤却又忍不住叫了起来："他就是卢小云，他就是你的儿子？你知道他没有死？"

卢九点点头，道："就算青龙会用假扮他的那尸体瞒过了我，我还是知道他没有死，就算他没有在凤林寺铁水的灵堂外叹息，我也知道。"

华华凤道："你怎么会知道的？"

卢九淡淡道："他毕竟是我的儿子。"

这句话并不能算是很好的解释，却又足以解释一切——父子之间，总会有极奇妙的感情，奇妙的联系，这种感觉没有人能解释，却也没有人能否认。

华华凤还是不懂："青龙会既然已决心要他的命，为什么又要用另一个人的尸体冒充他，却将他装在箱子里，沉入湖底？"

段玉忽然笑了笑，道："因为他们不愿让卢九爷看到他身上的鱼钩。"

他居然好像也早已看出了这秘密："他们不愿让卢九爷看到他身上另外还有伤口，他们一定要让卢九爷相信，他是直接被我一刀杀死的。"

卢九道："死人的脸，总难免扭曲变形，他们已算准了我绝不会看出这秘密。"

华华凤更不懂："你既然早已知道他没有死，为什么还要来杀段玉，替他复仇？"

卢九道："因为我也知道，他自己一定会觉得没有脸见我，若不将花夜来那女贼亲手捉住，为自己出这口气，他是绝不会出来和我相见的。"

直到现在，他疲倦冷淡的脸上，才露出极怜惜伤感之色，慢慢地接着道："他毕竟是我的儿子，他的脾气我当然知道得很清楚。"

华华凤总算明白了一点："所以你才故意用这法子，激他出来。"

卢九点点头，叹道："这孩子虽然倔强骄傲，却绝不是个忘恩负义之人，绝不会看着他的救命恩人，跟他的老子拼命的！"

华华凤又有一点不懂了："可是，你怎么会知道他在这里？"

卢九面上终于露出微笑："我早已猜出，被人装进箱子里的那位仁兄就是他。”

华华凤也笑了：“你也听到我说，他身上穿的，就是我的衣服。”

卢九笑道：“我虽然已年老多病，耳朵却还不聋。”

华华凤笑道：“非但一点也不聋，简直比……我还灵。”

她本来是想说“比兔子还灵”的，可是现在她对这垂老而多病的人，也已产生一种说不出的尊敬。

这老人的义气和智慧，本就值得受人尊敬。

卢九已接过她手里的衣服，披在他儿子身上：“这件衣服虽然脏，至少总比没有衣服好，你小心着了凉。”

卢小云道：“我……我……”

他又是感激，又是激动，只觉得热血上涌，堵住了咽喉，竟连一个字都说不出来。

华华凤长长吐出口气，说道：“现在你既然还活着，暗算你的人究竟是谁，你总该可以亲口说出来了。”

卢小云却还是说不出来。

华华凤盯着他，道：“你还不肯说？”

卢小云道：“我……”

华华凤道：“难道你还有些什么说不出来的苦衷？”

卢小云索性闭上了嘴，连眼睛都一起闭上，眼角竟似沁出了一滴晶莹的泪珠。

他的确有难言的苦衷，他不想说，现在也已不必说。

看见了他的眼泪，每个人心里都已明白。

——花夜来虽然欺骗了他，出卖了他，他心里却永远也忘不了花夜来。

情感本就是件奇怪的事，一个多情的少年，爱上的往往会是他最不该爱的人。

他自己心里纵然也已明白，怎奈相思已纠缠入骨，化也化不开了。

卢九似已不忍再看他。

儿子心里的悲伤，做父亲的当然比谁都清楚。

卢九忽然道："你刚才虽然并没有试探出什么来，我却看出了一点可疑之处。"

华华凤道："你看出了谁有可疑之处？"

卢九道："顾道人。"

华华凤道："我怎么看不出？"

卢九道："因为你根本不知道他是个什么样的人。"

华华凤的确不知道。

卢九道："他本是个最不肯吃苦、最懒的人，就算花夜来真的跟他有什么深仇大恨，叫他冒着风雨在浪涛中折腾一夜，他也不肯的。"

华华凤道："可是他刚才却连一句怨言都没有说。"

卢九道："所以我才觉得奇怪。"

华华凤道："难道就因为他知道我在说谎，也知道花夜来的下落，却生怕被我看出来，所以才肯受那种罪？"

卢九点点头，道："其实就算没有今天的事，我对他也早已有了怀疑。"

华华凤道："哦？"

卢九道："那天铁水和段玉交手时，他一直站在船头袖手旁观，一直都希望段玉死在铁水手里，王飞几次要出面劝阻，都被他阻住了。"

华华凤眼珠子转了转，道："我本来以为只有一个人希望你死。"

卢九道："你说的这个人是谁？"

华华凤道："青龙会在这里的龙抬头老大。"

卢九道："本来就只有这一个人，真的希望段玉死。"

华华凤眼睛里发出了光，道："难道顾道人就是龙抬头老大！"

卢九道："他只不过是个小酒铺的老板，可是一输就是上万两的金银，他的钱是哪里来的？"

华华凤霍然回头，瞪着段玉，道："你是怎么想的？你为什么不说话？"

段玉笑了笑，道："因为我要说的，全部被你们说了。"

卢小云忽然抬起头，道："那天我在昏迷之中，的确好像看见了一个独臂人的影子，而且还好像听见他在跟花……花姑娘争执。"

华华凤道："那暗器是从你身后发出的，发暗器的，很可能就是他。"

卢小云又低下头，不说话了。

华华凤眼珠子又转了转，道："顾道人当真就是龙抬头老大，现在就一定不会回家的。"

卢九道："为什么？"

华华凤道："因为他既然已知道我们将花夜来看成唯一的线索，以他的为人，一定会赶在前面，先去杀了花夜来灭口。"

卢小云脸色更苍白，连嘴唇都已在发抖。

华华凤故意不看他，道："所以我们现在就应该去找顾道人，看他是不是在家。"

段玉忽然又笑了笑，道："他不在。"

华华凤道："你怎么知道他不在？"

段玉淡淡地答道："卢九爷是在后面跟着我们来的，可是在卢九爷后面，却还有一个人跟着来了。"

华华凤悚然道："顾道人？"

段玉转过头，往里面那间小屋的窗户看了一眼，微笑道："阁下既然已来了，为什么不进来喝杯酒，也好驱驱寒气。"

窗外烟波飘渺，仿佛寂无人声，可是段玉的话刚说完，窗下就传来了一阵大笑。

“好小子，果然有两手，看来我倒真的一直低估了你。”

这是顾道人的笑声。

他的笑声听来总有点说不出的奇怪。

05

顾道人的确来了。

他虽然在笑，脸色却也是苍白的，眼睛里带着种残酷而悲惨的讥嘲之意，就像是一只明知自己落入了猎人陷阱的狼。

段玉看着他，忽然叹了口气，道：“你并没有低估我，却低估了你自己。”

顾道人道：“哦！”

段玉道：“你本不该到这里来的。”

顾道人道：“为什么？”

段玉道：“现在你若是回了家，若已舒舒服服地躺在床上，世上绝没有任何人能证明你就是暗算卢公子的人。”

顾道人道：“我自己也知道，可是我却非来不可。”

段玉也忍不住问：“为什么？”

顾道人道：“因为卢小云没有死，而你也没有死。”

段玉道：“我们不死，你就要死。”

顾道人嘴角已露出极凄凉的笑意，道：“你自己也说过，替青龙会做事的人，不成功，就得死，纵然只不过出了一点差错，也得死。”

这些话的确是段玉自己说过的，就在铁水的灵堂中说的。

顾道人居然每个字都记得清清楚楚。

华华凤抢着道："你难道已承认你就是这里的龙抬头老大？"

顾道人道："事已至此，我又何必再否认。"

段玉凝视着他，道："你难道本就是来求死的么？"

顾道人黯然道："死在你们手里，总比死在青龙会的刑堂里痛快些。"

华华凤道："花夜来呢？"

顾道人道："你为什么不想想，她既然是你们唯一的线索，我怎么会让她还活着？"

卢小云突然跳起来嘶声道："你……你已杀了她灭口？"

顾道人冷冷道："你想替她报仇？"

卢小云扑过去，又停下。

顾道人手里忽然有刀光一闪，一柄尖刀，已刺入他自己的心口。

他还没有倒下去，还在冷冷地看着卢小云，深深道："我杀了她，你本该感激我的，我……"

他已没有再说下去，鲜血已从他眼耳口鼻中同时涌出。

天已快亮了。

东方露出第一道曙光，正斜斜地从窗外照进来，照在他脸上。

他终于倒下。

这变化实在太突然。

他的死也实在太突然。

这件复杂离奇而神秘的事，居然就这么样突然结束。

段玉看着他的尸身，眼睛里仿佛又忽然露出一种很奇怪的表情，喃喃地道："你本不该死的，又何必死！"

华华凤忍不住道："他不该死，难道是你该死？"

段玉居然叹了口气，居然承认："我的确是该死。"

他忽又转过头，看着卢小云，却说了句非常奇怪的话："你最后看见花夜来的时候，她是不是正在钓鱼？"

卢小云点点头。

他又觉得很惊讶，因为他想不出段玉是怎么会知道的。

06

红日已高升，今天显然是好天气。

顾道人的酒馆，大门已开了一半，那个古怪的小癞痢，正在门口扫地。

大酒缸和小板凳，本就是终夜摆在外面的，段玉、卢九、卢小云、华华凤，围着个酒缸坐了下来。

小癞痢连看都没有看他们一眼，嘴里喃喃地嘟囔着，道："就算真的是酒鬼，也没有这么早就来喝酒的。"

段玉忽然问："你们的老板娘呢？"

小癞痢道："还在睡觉。"

段玉又问了句奇怪的话："老板呢？"

小癞痢道："也在睡觉。"

段玉叹了口气，什么话都不再说了。

四个人就这样静静地坐着，等着，谁也不知道他们究竟在等什么？

他们的脸色都很沉重，要将一个人的死讯来告诉他的妻子，本就不是件令人愉快的事。

日色又升高了些。

华华凤好像又有点沉不住气了，好像正想开口说什么。

她想说的话并没有说出口，因为她忽然发觉有个人正在看着他们。

无论谁看到这个人，都忍不住会多看几眼的。

这个人当然是个女人，是个很灵活的女人，不但美，而且风姿绰约，很会打扮。她穿得很考究，一件紧身的墨绿衫子，配着条曳地的百褶长裙。雪白的裙子，不但质料高贵，手工精致，颜色也配得很好。

这里的老板娘终于出现了。她的装束打扮，就跟段玉第一次看见她时，完全一模一样。可是她的神情却已不同了。她的脸上，已没有那种动人的微笑。她看着他们，慢慢地走过来。

段玉和卢九都已站起，迟疑着，仿佛不知道应该怎么样对她说。

她却又用不着他们说，忽然笑了笑，笑得很凄凉："你们是不是来告诉我，我已是个寡妇了？"

段玉点点头。

卢九却忍不住问："你怎么知道？"

女道士凄然笑道："我看得出。"

卢九道："看得出我们的表情？"

女道士悲声道："我也早已看出，他……他最近神情总有点恍惚，好像已知道自己要有大祸临头。"

她的神情虽很镇静，可是眼睛里已有泪流下，忽然转过头："你们只要告诉我，到哪里去收他的尸，别的话都不必再说。"

段玉却偏偏是有话要说："我第一次看见你，你也是忽然就出现的，就像今天一样。"

女道士没有回头，冷冷道："你难道要我出来的时候，先敲锣告诉你？"

段玉道："你并不是出来，而是回来。"

他看看她雪白的裙子，慢慢接着道："无论谁从这里面出来，都不会这么干净。"

女道士霍然回过头，瞪着他："你究竟想说什么？"

段玉叹了口气，道："我只不过想告诉你，你的丈夫本不该死的！"

女道士冷冷道："该死的难道是你？"

"我的确该死，"段玉居然又承认了，"因为我本该早已看出你是谁的。"

"我是谁？"

"花夜来。"段玉一字字道，"你就是花夜来，也就是这里的龙抬头老大。"

女道士瞪着他，忽然笑了，笑容又变得像以前一样美丽动人。卢小云的全身却已突然僵硬。

段玉道："我第一次看见你，就有种很奇怪的感觉，总觉得以前好像见过你。"

女道士在听着，仿佛正在倾听着别人说一个很有趣的故事。

段玉继续道："你每天在这里出现时，都好像是一朵刚摘下来的鲜花，因为你晚上根本不在这里。"

他轻轻叹息着，接着道："因为你是花夜来，一到了晚上，你就要出去散播你的香气。在夜色中，昏灯下，当然不会有人看得出你是刻意装扮过的，更不会有人想到你白天竟是这小酒铺的老板娘，何况那时别人早已被你的香气迷醉了。"

女道士用眼角瞟着他："你也醉过？"

段玉苦笑，道："我也曾醉过，可是我却醒得快。"

女道士道："你是什么时候醒的？"

段玉道："也许我一直都将醒未醒，可是看见铁水的棺材时，我已醒了一半，看见顾道人倒下时，我才完全清醒。"

女道士道："为什么？"

段玉说道："因为，铁水绝不会是死在顾道人手上的，我知道他的武功，顾道人根本伤不了他一根毫发。"

女道士道："难道不可能有意外？"

段玉道："绝不可能。"他又解释，"铁水本是个疑心很重的人，对任何人都不会信任，对顾道人也没什么好感，所以顾道人根本不可能接近他。"

既然连接近他都不可能，当然就更不可能在他措手不及间杀了他。

段玉又道："我也知道卢小云绝不是顾道人暗算的。"

"为什么？"

段玉道："因为那鱼钩并不是暗器，要用鱼钩伤人，钩上一定要有钓丝，而那时在钓鱼的却不是他，而是花夜来。"

原来他刚才问卢小云的那句话并不奇怪，他本就另有用意。

段玉道："所以我才想不通，这些事既然不是他做的，他为什么要将一切罪名都承当下来？"

女道士道："现在你已想通了？"

段玉道："嗯。"

女道士道："什么解释？"

段玉道："他这么样做只不过是为了要替别人承当罪名，一个多情的男人，为了他真正喜欢的女人，本就不惜牺牲一切的。"他黯然接着道，"一个多情的男人，若是知道他的妻子是花夜来那样的女人，本就已是件很痛苦的事，所以他本就是一心去求死的。"

女道士却又笑了："从这几点，你就能证明我是花夜来？"

段玉道："我看得出他真正喜爱的女人只有你，我也看得出这世上只有一种人能杀死铁水。"

女道士道："哪种人？"

段玉道："女人，就是你这种女人。"

女道士道："可是我为什么要杀他呢？"

段玉道："因为他很可能就是青龙会派来监视你的人，你觉得他对你有威胁，正好趁机杀了他，将罪名也推在我身上。"

女道士又笑了，这次笑得却已有些勉强。

段玉道："这本就是个很复杂的圈套，你本来想将所有的人都套进这圈套里，只可惜你算来算去，还是少算了一件事。"

女道士忍不住问道："什么事？"

"感情，"段玉道，"你没有把人的感情算进去，因为你自己完全没有感情。"

他又解释："就因为人有感情，所以卢九爷才会信任我，所以卢小云才会被我救起，所以顾道人才会为你死，所以我才会看破你的秘密。"

那天卢九若是和铁水联手，段玉早已死在那船舱里。

卢小云也早已死在那箱子里。

段玉又叹道："顾道人想求死，也只不过因为他知道我也醉过，所以他妒忌，就正如那天他发现你和卢小云在一起时的心情一样。"

所以卢小云在晕迷中，是听到顾道人和花夜来争吵，他并没有听错。

女道士静静地听着，目光仿佛在凝视着远方，忽然叹了口气，道："我的确算错了一件事，只不过你永远想不到我是怎么会错的。"

段玉道："哦？"

女道士叹道："我看你拈着你那一两七钱银子付酒账时，那种笨手笨脚的样子，本来，以为你只不过是个喜欢多管闲事的笨蛋。”

那天的事段玉当然还记得。他抢着将荷包掏出来，慌忙中一个不小心，银票和金叶子落了一地，连那一柄碧玉刀都掉了下来。那一天之中，他已犯了段老爷子的四大戒律。他既惹了事，又跟僧道结了怨，钱财也露白了，而且还和陌生的女人来往了。他实在也没有想到，反而因此而变祸为福。

“既然你现在提起了这件事，我也想起了一件事。”

“什么事？”

段玉道：“我那一千两银子的庄票，还得要你还给我。”他笑了笑，接道，“那两个人，当然是你故意派去的，为的只不过是要我认为铁水是这里的老大，要我认为龙抬头和花夜来是两个人。”

花夜来又忍不住问：“你怎么知道的？”

段玉道：“青龙会若是真有那样的冒失鬼，青龙会也就不可怕了。”

花夜来一句话都不说，不但还给了他那一千两银票，也给了他那一坛金子。

“这既然是你赢的，你就该拿走。”花夜来道，“现在你还有什么话说？”

段玉道：“没有了。”

花夜来很惊讶：“没有了？”

段玉淡淡地道：“你虽然想害我们，我们却还活着；你虽然做错了事，也用不着我们来惩罚，青龙会的刑堂，现在也许就已为你开了；至于乔老三和王飞，究竟是不是你的人，更和我们没有关系。”他又笑了笑，“我虽然喜欢管闲事，可是不该管的事，我是绝不会管的。”这就是他说的最后一句话。

卢小云也没有再说什么，因为他的父亲一直用力握着他的手。他们全走了，全没有回头。

花夜来看着他们走，连动都没有动，因为她知道自己根本已无路可走。

明月如镜，湖水也如镜，镜中又有一轮明月。华华凤痴痴地看着水中明月，忽然叹了口气，道："今天已经是十二了。"

段玉道："嗯。"

华华凤道："四月十五之前，你一定要赶到宝珠山庄去。"

段玉道："嗯。"

华华凤道："所以你明天一早就得走。"

段玉这次连声音都没有出，他忽然觉得心里酸酸的，喉头也仿佛被一样什么东西塞住。

一阵风吹过来，吹皱了满湖春水，水中的明月也醉了。

华华凤忽然问道："你是不是一定要把那柄碧玉刀送到宝珠山庄去？"

段玉点点头。

华华凤道："你能不能先让我看看？"

段玉默默地取出了那柄碧玉刀，在月光下看来，绿得也像是一湖春水。

华华凤痴痴地看着，嘴里问道："这柄刀就是你的定亲礼？"

段玉没有回答，也不忍回答，他正想说："这柄刀虽然是准备用来定亲的，可是我这个人却并不一定要去订这段亲事。"

只可惜他这句话还没有说出口，华华凤忽然一挥手，将碧玉刀远远地抛入湖水里。

这是段家祖传的宝物，若是不见了，那后果段玉简直连想都不敢想。所以他想也不想，就跟着跳下去。他一定要找回这柄碧玉刀。他当然找不到！

要在这湖水里捞起那么小的一柄碧玉刀，实在正如大海捞针一样，是绝不可能的事。等他再重回水面时，华华凤也不见了。他心里的感觉，甚至比失去了那柄祖传的碧玉刀更难受。因为他知道他这一生中，是永远再也见不到她的了。要在茫茫的人海中，找到她这么样一个人，岂非也正如想从湖水中捞起那柄碧玉刀一样？

又有风吹过，吹皱了一湖春水。

第六章

诚　实

01

段飞熊段老爷子也已到了宝珠山庄，他毕竟还是不放心他那第一次出门的儿子。

现在他正和朱宽朱二爷并肩坐在寿堂的花厅里，看着他这个宝贝儿子，一张本就已很严肃的脸，似已变成了铁青色。

“我是不是叫你一定要将那柄碧玉刀送到朱二叔手上的？”

段玉垂着头，道：“是。”

段老爷又道：“我是不是告诉过你，宁可丢了脑袋，也不能丢了那柄碧玉刀？”

段玉道：“是。”

段老爷子道：“现在你的刀呢？”

段玉非但不敢抬头，连大气都不敢喘。

朱宽朱二爷的神色显然和气得多：“那柄刀你既然一直都带在身上，是怎么会不见了的？”

段玉道：“我……我……我太不小心，是我的错。”

朱宽道：“不是别人的错？”

段玉道：“不是。”

朱二爷看着他，眼睛里的表情好像很奇怪，忽然道：“你是不是说过，一个男人，为了他真心喜欢的女人，是不惜承受一切罪名的？”

段玉吃惊地抬起头，他实在想不通朱二爷怎么会知道他说过这句话。

朱二爷却笑了，笑得也很奇怪，忽又问道：“你是不是真的很喜欢她？”

他伸出手，指着刚从屏风后走出来的一个人。

一个眼睛很大，笑的时候鼻子会先皱起来的女孩子。

“华华凤！”

段玉几乎忍不住要叫了起来，他更想不通华华凤怎么也会到了这里。

华华凤那小巧玲珑的鼻子又皱了起来，嫣然道：“连女道士都会是夜来香，华华凤为什么不能是朱珠？”

段玉终于明白了。

为什么华华凤也偏偏正巧在那时候忽然出现，为什么她总是要管他的闲事。

原来她本就是特地去“考察”她未来的夫婿是个什么样的人！

可是段玉还是有点不明白。

“你为什么要把碧玉刀抛在水里？”

碧玉刀并不在水里，还在朱珠手里：“我抛下的那柄刀是假的。”

段玉叹了口气，苦笑道：“你为什么要我着急呢？”

朱珠撅起嘴：“因为我在吃醋。”

段玉道：“吃谁的醋？”

朱珠道：“吃我自己的醋。”

朱珠在吃华华凤的醋，华华凤也在吃朱珠的醋，你说这笔账叫人怎么算得清？

02

段玉已成了江南最出名的少年英雄，而且也已和朱珠成了亲。

段老爷子的心情却很不好，总是愁眉苦脸的，一个人在叹气。

大家都很奇怪，朱二爷更奇怪："我实在想不出你还有什么事不开心的？"

段飞熊道："只有一件事。"

朱宽道："你赶快说出来吧，我实在是很想听听。"

段老爷子叹了口气，道："段玉出门的时候，我给了他七条大戒，叫他绝不能去做那七件事，可是他居然全部去做了！"

朱二爷道："他好像并没有吃亏，也并没有惹麻烦上身，反而因此揭破了青龙会害他的秘密，还多了很多朋友。"

他微笑着，又道："而且他若不是这么样做了，我女儿也不会这么容易就嫁给他的。"

段老爷子却还是在叹气，道："就因为如此，所以我才不开心！"

朱二爷更不懂道："为什么？"

段老爷子道："你想想，我叫他不能做的事，他全都去做了，反而因祸得福，变成了个大英雄，娶了个大美人。"

他摇着头，叹道："你想想，我这老头子说的话，他以后怎么会听？"

朱二爷又笑了，大笑着道："你若真的因为这件事而不开心，你就错了！"

段老爷子有点生气了："我错了，我错了，你还说我错了！"

朱二爷笑道："有的人天生勇敢，有的人天生机敏，但却都不如天生就幸运的人，你的儿子就是个天生幸运的人，所以他这一辈子，一定过得比别人都愉快，你还有什么不开心的？"

所以我说的这第四种武器，并不是碧玉七星刀，而是诚实。只有诚实的人，才会有这么好的运气。

段玉的运气好，就因为他没有骗过一个人，也没有骗过一次人——尤其是在赌钱的时候。

所以他能击败青龙会，并不是因为他的碧玉七星刀，而是因为他的诚实。

多情环

第一章

多情自古空余恨

01

夜，夜已深。

双环在灯下闪动着银光。

葛停香轻抚着环上的刻痕，嘴角不禁露出微笑。

他已是个老人，手指却仍然和少年时同样灵敏有力，无论他想要什么，他总是拿得到的。

他想要这双环已有多年，现在总算已到了他手里，他付出的代价虽然极大，可是这收获却已足够补偿一切。

因为这双银环本是属于盛天霸的。

盛天霸一手创立的“双环门”，威震西陲已近三十年。

现在双环门这种根深蒂固，几乎已没有人能撼动的武林霸业，竟已被他在短短的三个月中，一手推翻了。

他所付出的代价无论多大，都是值得的。

“杀了一个人，就在银环上刻一道刀痕！”

这是盛天霸多年来的习惯，也已变成了双环门下所有弟子的惯例。

环上只有十三道刻痕。

盛天霸并不是那种好色如命，杀人如草的英雄，他并不喜欢杀人。

他要杀的，必定都是值得他杀的人。

这十三道刻痕虽然不深，其中却埋葬了十三条显赫一时的好汉。

他们活着时声名显赫，死的时候也曾经轰动一时，死后留下的，却只不过是浅浅的一道刻痕而已。

现在杀他们的人，也已死在别人手里。

他留下的又有什么？

——甚至连一道刻痕都没有留下。

葛停香嘴角虽带着微笑，眼睛却不禁露出了寂寞之色。

他知道自己也会跟盛天霸一样，迟早也有死在别人手里的一天。

杀他的人会是谁呢？

桌上还摆着一卷黄纸，葛停香摊开来，用银环压住纸卷的两端。

纸笺已陈旧，上面写着七个人的名字：

“×”盛重：盛天霸堂侄，孔武有力，双环分量加重。

“×”李千山：冷静沉着，足智多谋。

“×”胡大刚：剽悍勇猛。

“×”王锐：少林弃徒，还俗后入双环门。

“×”杨麟：陇西大盗，武功最杂。

“×”盛如兰：盛天霸之女，精暗器。

萧少英：家道中落之世家子，因为酗酒闹事，非礼师姐，已经于两年前被逐出双环门，下落不明。

这七个人，本是双环门的七大弟子，除了盛天霸之外，他们几乎就可以算是西北一带，名头最响，最有势力的七个人。

现在葛停香却在他们的名字上都打了个“×”。

那意思就是说，这些人不是已经惨死在刀下，就是已负伤逃亡，纵然能侥幸不死，也已是个废人。

将来纵然有人能击倒葛停香，也绝不会是这七个人。

萧少英的名字上虽然是空着的，虽然逃过了这一劫，可是葛停香从来也没有将这个好色贪杯、放荡成性的败家子看在眼里。

何况他早已被盛天霸逐出门墙，根本已不能算是双环门的弟子。

葛停香嘴角不禁露出得意的微笑。

盛极一时，不可一世的双环门，现在终于已烟消云散了。

他们留下了什么？

只不过留下了这一双银环，作为葛停香胜利的纪念而已。

02

夜更深。

风吹碧纱窗，门外忽然响起了一阵很轻的脚步声。

葛停香用不着回头，就知道来的是谁了。

这是他的书房，也是他的密室。

除了玉娘，绝没有别人会来，也没有别人敢来。

玉娘姓郭，是他不久前才量珠聘来的江南名妓，现在已成了他最宠爱的一位如夫人。

对女人与马，葛停香一向都极有鉴赏力，他选择的女人，当然是绝色的丽人。

郭玉娘不但美，而且柔媚温顺，善体人意。

葛停香心里在想着的事，往往不必说出来，她就已先替他安排好了。

现在夜已很深，他正觉得有点饿。

郭玉娘已捧了他最喜欢的四样下酒菜，一碟小花卷，和一壶碧螺春走进来。

葛停香故意皱着眉，道："你为什么还不睡？"

郭玉娘甜甜地笑着，道："因为我知道你今天晚上一定睡不着的，所以在替你准备点心。"

葛停香道："你怎么知道？"

郭玉娘嫣然道："每一次豪赌之后，你无论输赢都睡不着，何况今天？"

今天葛停香不但赢来了永垂不朽的声名，也已将西北一带无法计算的财富都赢了过来。

这一场豪赌，赌得远比他生平任何一次都大得多。

葛停香看着她，目中不禁流露出满意之色，叹息着揽住她的腰肢，道："幸好今天我赢了，否则只怕连你的人都要被我输出去。"

郭玉娘却笑说道："我倒一点也不担心，我早就算准你会赢的。"

葛停香笑道："哦？"

郭玉娘轻抚着他花白的头发，柔声道："我第一次看见你的时候，就已看出你绝不会做没有把握的事，所以不管你要不要我，我都已跟定了你。"

葛停香大笑。

一战成功，百载扬名，美人在抱，温香如玉，人生如此，夫复何求？现在他的确可以笑了，无论他的笑声多大，也绝不会有人觉得刺耳的。郭玉娘放下食盘，看着桌上的银环，忽然问道："这就是盛天霸的多情环？”

葛停香点点头。

郭玉娘道：“盛天霸是个多情人？”

葛停香肯定地道：“不是，绝不是。”

郭玉娘道：“那么，他的环为什么要叫作多情环？”

葛停香道：“因为这双环无论套住了什么，立刻就紧紧地缠住，绝不会再脱手，就好像是个多情的女人一样。”

郭玉娘又笑了，笑得更甜：“就好像我一样，现在我已缠住了你，你也休想再逃。”

葛停香大笑道：“我本就不想逃。”

郭玉娘道：“多情环……多情的环，无情的人，这个名字取得很好。”

葛停香接道：“只可惜名字取得再好，也是没有用的。”

郭玉娘道：“现在他人已死了？”

葛停香道：“不但他的人已死，他创立的双环门，也已烟消云散。”

他凝视着桌上的银环，慢慢地接着道：“他从十六岁出道，闯荡江湖四十年，身经数百战，手创双环门，也算得上是威风了一世，现在留下来的，却只不过是这双银环而已。”

郭玉娘明媚的眼睛里却露出了种沉思之色，过了很久，才轻轻地道：“也许他留下的还不止这一点。”

葛停香道：“还有什么？”

郭玉娘道：“仇恨！”

葛停香皱了皱眉，脸色似也变了，他当然知道仇恨是多么可怕的事。

郭玉娘道：“仇恨就像是蒲公英的种子一样，只要还有一点点留下来，留在人的心里，就总有一天会长出来的。”

葛停香自己倒了杯酒，一饮而尽，忽然冷笑道：“就算还有仇恨留下来，也已没有复仇的人。”

郭玉娘追问道：“一个都没有？”

葛停香道：“没有！”

郭玉娘又展平了那张已起皱的纸卷，道：“这些人呢？”

葛停香道：“盛重、李千山、胡大刚、盛如兰，他们都已死在乱刀之下，王锐和杨麟也已经成了残废。”

郭玉娘道：“残废的人，也一样可以报仇的。”

葛停香道：“所以我并没有放过他们。”

郭玉娘道：“你已派了人去追？”

葛停香道：“我保证他们一定逃不了的。”

郭玉娘又将七个名字从头看了一遍：“还有萧少英呢？”

葛停香笑了笑，说道：“这个人根本就不能算是个人。”

郭玉娘接问道：“为什么？”

葛停香道：“萧家本是陇西望族，家财亿万，富甲一方，但不到三年，就全都被他败得精光了。”

郭玉娘在听着，而且还在等着他再多说一点。

葛停香又道：“他本是盛天霸关山门的弟子，盛天霸对他的期望本来很高，但他却将盛夫人的珠宝都偷出来卖了，拿去酗酒宿娼。”

郭玉娘轻轻叹了口气，道：“看来这人的本事倒真不小。”

葛停香大笑道：“这也算本事？”

郭玉娘正色道：“当然算本事。”

她的神情忽然变得很严肃：“能在短短两三年里，将亿万家财花光的人，世上又有几个？”

这种人的确不多。

“敢将盛天霸夫人的珠宝偷出来，拿去酗酒宿娼的人又有几个？”

这种人更少。

郭玉娘道：“所以他做的这些事，别人非但做不出，也没有人敢做。”

葛停香只有承认。

郭玉娘道：“连这种事他都做得出，天下还有什么他做不出的事？”

葛停香没有继续喝酒，只要一有值得思考的事，他就绝不喝酒，否则这双银环上只怕又多了道刻痕，他的人也许已埋葬在双环山庄的乱石岗里。

他沉思着：“你认为我应该提防他？”

郭玉娘道：“我总认为世上有两种人是绝不能不提防的。”

“哪两种人？”

郭玉娘道：“一种是运气特别好的人，一种是胆子特别大的人。”

葛停香已记住了这句话。

只要是有道理的话，他就绝不会忘记。

郭玉娘道：“他自被盛天霸逐出门墙后，就已下落不明？”

葛停香道：“这两年来，的确没有人知道他的下落，只因为根本没有人想到要去找他。”

郭玉娘道：“若是要找，能不能找得到？”

葛停香笑了笑，道：“若是我真的要找，世上绝没有我找不到的人。”

他忽然高声呼唤：“葛新。”

门外立刻有人应声：“在。”

葛停香再吩咐：“叫王桐来。”

王桐垂着手，站在葛停香面前，就好像随时都准备跪下来吻葛停香的脚。

从来也没有人怀疑过他对葛停香的服从与忠心，也从来没有人真能了解他的可怕。

他是个非常沉默的人，很少开口，也很少笑，脸上总是带着种空洞冷漠的表情，一双手总是喜欢藏在衣袖里。

他伸出手来的时候，通常只有两种目的，吃饭、杀人！

在他这一生中，杀人几乎已变成和吃饭同样重要的事。

现在虽然已是深夜，但只要葛停香一声吩咐，不出片刻，他就出现在葛停香面前，而且永远都是绝对清醒着的。

葛停香看着他，目中又不禁露出满意之色，就好像他看着郭玉娘时一样。

假如他必须在这两人中选择一个，他选的一定不是郭玉娘。

“你见过萧少英？”

王桐点点头，双环门下的七大弟子，每一人他都见过。

远在多年前，他已随时都在准备要这七个人的命。

葛停香道：“你看他是个什么样的人？”

王桐道：“他不行。”

“不行”这两个字经王桐嘴里说出来，并不能算是极坏的批评。

盛重天生神力，勇猛无敌，环上的刻痕，多达一百三十三条，其中大多都是武林一流高手，在双环门下的七大弟子中，位列第一。

可是王桐对于他的批评，也只有两个字。

“不行！”后来发生的事证明他并没有看错，盛重只出手五招，就已死在他手里。

葛停香嘴角又露出微笑，发出了简短的命令：“去找他，带他回来。”

王桐没有再说一个字，也没有再问任何问题。

葛停香既然只要他去带这个人回来，那么这个人是死是活都已没有关系。

看着他走出去，郭玉娘也不禁轻轻叹了口气：“也不知道是为了什么，我每次看见他的时候，总觉得忍不住要打寒噤，就好像看见条毒蛇一样。”

葛停香淡淡地道：“你看错了。”

“看错了？”

“就算三千条毒蛇加在一起，也比不上他的一根手指。”

桌上有笔墨纸砚。

葛停香忽然提起笔，在萧少英名字上也打了个“×”。

郭玉娘又忍不住道：“他现在岂非还没有死？”

“不错，他现在还没有死。”葛停香忽然道，“只不过从王桐走出门的那一刻开始，他就已等于是个死人了……”

第二章

暴雨荒冢

01

霹雳一声，闪电照亮了荒冢累累的乱石山冈。

山坳里，两个衣衫褴褛，歪戴着破毡帽的大汉，正在暴雨中挖坟。

暴雨打灭了满山鬼火，也打灭了他们带来的灯笼，大地一片漆黑，荒坟间到处都弥漫着令人毛骨悚然的森森鬼气。

这两个是什么人？

他们要埋葬的人，又是什么人呢？

其中一个塌鼻斜眼的猥琐汉子，正在喃喃地埋怨："若不是昨天晚上在场子输得精光，就算再多给我二十两，我也不来干这种鬼差使。"

"这差使就算不给钱，咱们也得干。"另一个人虽然口嘴有点歪，眼睛却不斜，"赵老大平时对咱们不错，现在人家出了事，咱们难道能不管？"

斜眼的叹了口气，用力挥起了锄头。

又是一声霹雳，闪电击下，一条铁塔般的大汉，赶着辆驴车，冲上了山冈，车上载的，赫然正是两口崭新的棺材。

"赵老大来了。"

"你猜棺材里装的是谁？"斜眼的还是满肚子疑心，"死人总是要入土的，为什么偏偏要做得这么鬼祟？”

“这种事咱们最好少问，”歪嘴的冷冷道，“知道得愈少，麻烦也愈少。”

驴车远远地停下，赵老大正在挥手呼唤，两个人立刻赶过去，抬了口棺材，赵老大自己一个人扛起了另一口，嘴里吆喝着，将棺材摆进了刚挖好的坟坑。

三个人正准备把土推下去，“砰”的一声，仿佛有人在敲门，声音还很大。

这里既没有人，也没有门，声音是从哪里发出来的?

斜眼的激灵灵打了个寒噤，突然间，又是“砰”的一声响。

这次他总算听清楚了，声音是从棺材里发出来的。

棺材里怎么会有人敲门?

赵老大壮起胆子，勉强笑道：“说不定是条老鼠钻到棺材里去了……”

他的话还没有说完，棺材里突然又响起一阵阴恻恻的笑声。

老鼠绝不会笑，只有人才会笑。

棺材里却只有死人。

死人居然在笑，不停地笑。

三个人脸已吓得发绿，对望了一眼，拔腿就跑，跑得真快。

雨还在不停地下，三个人眨眼间就逃下了山冈，连驴车都顾不得带走。

棺材里的笑声，却突然停止了。

又过了很久，左边的一口棺材，盖子竟慢慢地抬了起来。

一个人跟着坐起来，鹰鼻、锐眼，黑衣上满是血污，左臂已被齐肩砍断了。

他四周瞧了两眼，一翻身，人已狸猫般从棺材里蹿出。

看他惨白的脸色，就知道他不但伤势极重，失血也极多。

可是他的行动仍然十分矫健，一出来，就掀起了另外一口棺材的盖子，沉声道：“你还撑不撑得住？”

棺材里的人咬着牙，勉强点了点头。

这人的脸着实比死人还可怕，也是满身血污，断的却是条右腿，所以连坐都没法子坐起来。

“撑得住还要躺在棺材里装死？”

这人牙咬得更紧，恨道：“你看不出我已剩下一条腿？”

“没有腿也得站起来，否则就得烂死在棺材里。”这鹰鼻锐眼的黑衣人，心肠就像是铁打的，“我岂非早已叫赵老大替你准备了根拐杖。”棺材里确有拐杖。

比黄豆还大的雨点，一粒粒打在他身上、脸上，这个整个一条右腿都被砍断了的人，竟真的挣扎着撑着拐杖站了起来。

看来他也是个铁打的人。

双环门下的七大弟子，本来就全都是铜浇成的，铁打成的。

有人甚至认为，你就算把他们的脑袋砍下来，他们也还是照样能张嘴咬你一口，咬进你的骨头里，喝干你的血。

这两人正是七大弟子中，还没有死在乱刀下的杨麟和王锐。

02

又是一道闪电，照亮了乱石和荒冢。

王锐用他的独臂，从驴车上提起口木箱，反手一抡，抛给了杨麟。

杨麟居然接住了，居然没有倒下。

可是支持着他身子的拐杖，却已被压入了地上潮湿的泥土里，他可以感觉到右腿根刚包扎好的伤口又开始在流血。

王锐又从车上提起一大壶水，用力猛踢驴股，驴子负痛惊嘶，奔下山冈。

杨麟看着他提着水壶大步走过来，目中竟似充满了悲愤痛恨之意。

王锐道：“箱子里有干粮和刀创药，只要节省着用，足够我们在这里过半个月的。”

杨麟在听着。

王锐道：“葛停香绝对想不到我们还会回到这里来，有半个月的工夫，我们的伤也差不多就能够好了。”

这片山冈就在双环山庄后，埋葬在山冈上的，至少有一半是死在双环门下的。

盛天霸一家人的尸体，也早被葛停香葬在这里。

王锐道：“白天我们一定得躲在棺材里，可是天黑了之后，我们还有很多事可做。”

他也在紧咬着牙关，勉强抑制着心里的悲愤，过了很久，才慢慢地接着道：“师父和大哥的坟一定就在这附近，我们虽然暂时不能替他老人家报仇，至少也得在他老人家坟前磕几个头。”

杨麟盯着他，慢慢将箱子放在棺材里，忽然道：“我们同门已有十年，这十年来，你跟我说过多少次话？”

王锐道：“不多。”

杨麟冷笑，道：“我知道你看不起我，因为我本来是黑道上的人，你总认为我是被逼得无路可走，才投入双环门的。”

王锐也在冷笑，道：“是不是，只有你自己心里知道。”

杨麟道：“我只知道你这次本来绝不会救我的，当时的情况那么危险，你一个人能逃走，已经很不容易。”

王锐冷冷道：“但我却还是冒着险，把你也带走了。”

杨麟道："所以我不懂。"

王锐道："你不懂？"

杨麟道："你救我，绝不是为了同门之义，因为你从来也没有把我当作你的同门兄弟。"

王锐沉默着，又过了很久，才盯着他，一字一字道："你要我说真话？"

杨麟点点头。

王锐道："好，那么我先问你，葛停香的功夫，比不比得上我们师父？"

杨麟答道："永远也比不上的。"

王锐道："但是这次他几乎没有费什么力，就已将师父打倒。"

杨麟道："那只因师父当时喝醉了酒，而且醉得很凶。"

王锐道："他老人家怎么会醉的？"

杨麟道："因为那天是他老人家与师母昔年第一次见面的日子。"

王锐问道："你知道他老人家每年到了那一天，都会喝醉的吗？"

杨麟道："我们师兄弟全知道。"

每年到了这一天，盛天霸总会将他的门下全都请入后院，痛饮去年春天就埋在树下的百花酒。

因为他觉得自己这一生的成功，全靠他有了个这么样的贤内助。

王锐道："除了我们兄弟外，还有什么人知道这件事？"

杨麟道："好像没有别的人了。"

每年只有到了这一天，盛天霸必定开怀痛饮，尽情而醉。

但他却从不愿别人知道他也有喝醉的时候。

他的仇家实在太多。

他绝不能给别人一点机会。

王锐目光如刀锋，盯着杨麟："这件事既然没有别人知道，葛停香怎么会知道的？”

杨麟的脸色变了。

王锐又道：“我们是在后院喝酒的，无论谁要闯进去，都得先闯过六七道暗卡，我们必定早已有了警戒，可是那天葛停香去的时候，我们却连一点影子都不知道。”

那天葛停香突然出现时，就好像飞将军突然从天而降。

王锐的手紧握道：“他们去的一共有十三个人，这十三个人是怎么通过外面那些暗卡守卫的，这件事我一直想不通。”

杨麟道：“所以你怀疑双环山庄里，早已有了他们的内线埋伏？”

王锐道：“不错。”

杨麟道：“你怀疑他们的内线就是我？”

王锐道：“不错！”

杨麟道：“你救走我，带我到这里来，就是为了要查明这件事？”

王锐道：“不错！”

杨麟也握紧了双拳，闭上了嘴。

暴雨如注，在他们之间隔起了一重帘幕。

他们就像是两只负了伤的野兽一般，在暴雨中对峙着。

也不知过了多久，王锐才一字一字道：“你承不承认？”

杨麟突又冷笑，道：“其实我也有件想不通的事。”

王锐道：“你说。”

杨麟道：“他们来的那十三人中，除了葛停香之外，最可怕的，就是杀了盛大哥的那个灰衣人。”

王锐道：“不错！”

杨麟道：“他杀了盛大哥，就转过来，跟另一人联手对付你。”

王锐道：“不错。”

杨麟冷冷道：“你一向自命是少林正宗，打的根基最厚，所以，才看不起我这个出身在下五门的师弟，只可惜你也不是那灰衣人的对手。”

王锐居然立刻承认：“不错，他武功远在我们之上。”

杨麟道：“他练的本就是种专门为了杀人的功夫。”

王锐道：“不错。”

“他杀盛大哥时，连眼睛都没有眨一眨，但却没有杀你！”

王锐的脸色似也变了。

杨麟道：“他本可杀你的，却放过了你，而且居然还放了你一马，让你逃走，这件事我也一直都想不通。”

王锐问道：“难道你认为我才是内奸，所以他们才会放过我吗？”

杨麟道：“除此之外，我想不出别的理由。”

王锐也闭上了嘴。

两个人又彼此对视了很久，王锐忽然道：“那个人也姓王，叫王桐。”

杨麟冷笑道：“原来你认得他。”

王锐道：“我当然认得他，远在三十五年前，我就已认得他。”

杨麟很惊奇：“你今年岂非才三十六岁？”

王锐道：“不错。”

杨麟道：“难道你一出世就认得他了吗？”

王锐点点头。

杨麟悚然动容，失声说道：“他也是姓王，难道他是你的兄弟？”

王锐道：“嫡亲的兄弟。”

杨麟怔住。

他实在想不到他们之间竟会有这种关系，更想不到王锐居然会承认。

王锐道：“我们虽然是嫡亲的兄弟，但却已有多年未曾见面了。”

杨麟道：“有多少年？”

王锐道：“十四年。”

杨麟道：“你投入双环门已有十四年。”

王锐道：“我脱离少林门下后，就已发誓永不再见他。”

杨麟道：“为什么？”

王锐的手握得更紧，目中又露出悲愤之色，缓缓道：“因为我出家做和尚，就是为了他，被逐出少林，也是为了他！”

杨麟道：“我不懂。”

王锐黯然道：“这件事我本不愿说出来的。”

杨麟道：“但现在你却非说出来不可！”

现在的确已到了非说不可的时候，否则两个同门弟兄，也许立刻就会像野兽般在这暴雨荒冢间互相厮杀。

他们心里的悲愤和仇恨都已积压得太多，只要有一点导火线，就立刻可能爆发。

王锐叹息着，终于道：“我们虽然同父却不同母，我是嫡出，先父去世后，他就毒杀了我的母亲，几乎也已将我置之于死地。”

杨麟又不禁动容。

他当然也看得出王桐是个多么心狠手辣的人。

“你出家做和尚，就是为了躲避他？”

王锐点点头，道：“我投入少林，本是为了要练武复仇。”

杨麟道：“但后来你却并没有去找他？”

王锐长叹道：“因为我出家之后，受了少林诸长老的熏陶感化，就已将仇恨渐渐地看得淡了，何况他毕竟还是我的兄长！”

杨麟道：“后来呢？”

王锐道：“谁知我不去找他，他反而来找我了。”

杨麟道：“他知道你已在少林？”

王锐道："他说他一知道我的下落，就立刻赶来找我，因为他也已知道他以前做得太过分，所以来求我原谅他。"

杨麟道："你当然接受。"

王锐黯然道："我非但接受，而且还很高兴，我实在想不到他还有别的图谋。"

杨麟问道："图谋的是什么呢？"

王锐道："就是少林寺的藏经。"

少林藏经，在武林人的心目中，一向比黄金珠宝更珍贵。

只不过无论谁都知道，少林七十二绝技的可怕，所以谁也不敢去轻捋虎须。

杨麟动容道："他去找你，为的就是要利用你，去盗少林藏经？"

王锐叹息道："后来他虽然没有得到手，但我也被逐出了少林。"

杨麟凝视着他，过了很久，才长长叹息，道："我是个孤儿，本来一直都在埋怨苍天对我的不公，现在我才知道，你的遭遇实在比我更不幸。"

王锐笑了笑，笑得很凄凉，道："其实我也没有想到，他这次居然会放过我。"

杨麟道："他也是个人，每个人一生中，至少总有片刻天良发现的时候。"

王锐苦笑道："他也许早已算准，纵然放了我，我也逃不远的。"

杨麟道："不管他是为了什么，我都已相信你绝不是内奸。"

王锐道："你……你真的相信？"

杨麟笑了笑，道："你虽然有些自大，却绝不是会说谎的人。"

王锐看着他，目中的憎恶，似已变为感激。

杨麟道："现在你若还认为我是内奸，就不妨过来杀了我，我也毫无怨言，因为我根本无法辩白解释。"

王锐没有过去。

两个又动也不动地站在暴雨中，互相凝视着，却已不再像是两只等着互相厮杀的野兽。

王锐忽然冲过去，紧紧握住了杨麟的手，哽声道："其实我也知道不是你。"

杨麟道："你知道？"

王锐道："我仔细想了想，你若是内奸，就不会被他们砍剩一条腿了。"

杨麟道："也许他们是想杀了我灭口。"

王锐道："那么他们就绝不会让我将你救走，就一定要第一个杀了你。"

杨麟笑了。

王锐也笑了。

雨虽是冷的，他们胸膛里的血却已在发热。

王锐苦笑道："这两天来，我们遭遇的不幸实在太多，心里实在太痛苦，总难免变得有点失常的，所以我才会胡思乱想，疑神疑鬼。"

恐惧本就会令人变得多疑，多疑就难免会发生致命的错误。

杨麟说道："所以我们一定要冷静下来，想想内奸究竟是谁？"

王锐道："我想不出。"

杨麟道："但这次双环门之惨败，一定是因为有人出卖了我们。"

王锐凄然道："可是除了我们两个人外，双环门下，已没有活着的人。"

杨麟道："还有一个。"

王锐立刻问："谁？"

杨麟道："萧少英！"

王锐道："他已不能算是双环门下的人。"

杨麟道："但双环门中秘密，他知道得却不比我们少。"

王锐道："你认为是他出卖了我们？"

杨麟不说话，双拳却又已握紧。

就在这时，突听"格"的一响，竟是从旁边一座荒坟中发出来的。

坟已颓败倒塌，露出了棺材的一角。

破旧的棺材里，竟突然伸出一只手来了。

03

一只灰白的手，手里还托着个酒杯。

棺材里的这个人，无论死活，都一定是个酒鬼。

王锐和杨麟的脸色都变了。

他们都不相信这世上真的有鬼，但现在对他们来说，人却比鬼更可怕。

棺材里是什么人？

托着酒杯的手，正在用酒杯接着已渐渐小了的雨点，已接满了一杯。

手缩了回去，棺材里却发出了声叹息。

一个人叹息着，曼声而吟："但愿雨水皆化酒，只恨此生已非人。"

王锐、杨麟又对望了一眼，脸上忽然露出种奇怪的表情。

他们竟似已听出这人的声音。

杨麟突然冷笑，道："你已不是人！"

棺材中的人又在叹息。

“既不是人，也不是鬼，只不过是个非人非鬼，非驴非马的四不像而已。”

又是“啪”的一声，棺盖掀起，一个人慢慢地从棺材里坐了起来，苍白的脸，满脸刚生长出来的胡茬子，还带着一身连暴雨都不能冲掉的酒气，只有一双眼睛，居然还是漆黑明亮的。

杨麟盯着他，一字字道：“萧少英，你本不该来的。”

04

雨已小了。

暴雨总是比较容易过去，正如盛名总是比较难以保持。

“我的确不该来的。”萧少英慢慢地爬出棺材，“只可惜我已来了。”

王锐也在盯着他，一字字道：“你已知道本门的祸事？”

萧少英凄然而笑，道：“我虽已见不得人，却还不聋。”

王锐道：“你知道我们在这里？”

萧少英点点头：“我知道赵老大是条够义气的好汉。”

王锐道：“所以你算准了我一定会去找他？”

萧少英道：“我也知道他是你的朋友。”

王锐问道：“你还知道了什么？”

萧少英道：“我还知道他绝不会无缘无故叫斜眼老六到这里来挖坟。”

王锐道：“所以你就跟着来了。”

萧少英又点点头。

王锐道："你算准了我们一定会来？"

萧少英笑得更凄凉："不管你们来不来，棺材里却是个喝酒的好地方，就算我醉死，这里也没有人会把我赶走。"

王锐看着他，眼睛里似已露出了同情之色。

杨麟却在冷笑，道："你本来明明可以做人的，为什么却偏偏要过这种非人非鬼的日子。"

萧少英淡淡道："因为我高兴。"

杨麟闭上了嘴，面上已现出怒容。

王锐忽然说道："箱子里还有瓶酒，拿出来，我陪你喝两杯吧。"

萧少英笑了。

杨麟沉下了脸，冷冷道："你还要陪他喝酒？"

王锐叹道："他虽已不是双环门下，却还是我的朋友。"

杨麟冷笑，道："他算是哪种朋友？"

王锐道："至少不是出卖朋友的那种朋友。"

杨麟道："他不是？"

王锐道："他若是那个出卖了我们的人，我们现在就早已真的进了棺材。"

萧少英突然大笑。

笑声中充满了一种说不出的悲怆和寂寞，道："我实在想不到，这世上居然还有人肯将我当作朋友的。"

他斟满酒一杯，递过去："来，我敬你一杯，你用酒杯，我用酒瓶，我们干了。"

满满的一瓶酒，他居然真的一口气就喝了下去。

王锐皱眉道："你为什么总是要这么样喝酒？"

萧少英道："这么样喝酒有何不好？"

王锐道："这已不是在喝酒，是在拼命。"

萧少英缓慢道："只要还有命可拼，又有何不好？"

他眼睛里又露出奇怪的表情，瞬也不瞬地凝视着王锐。

王锐忽然用力地握住了他的手，嗄声道："你真的愿意拼命吗？"

萧少英悠然道："我至少还有一条命。"

王锐的声音更嘶哑："你愿意将这条命卖给双环门？"

萧少英道："不是卖给双环门，是卖给朋友。"

他也用力握紧王锐的手："我虽已不是双环门的子弟，但双环门却一直都有我很多朋友。"

王锐的手在发抖，喉头已被塞住。

他实在也想不到，在这种时候，还有人肯承认自己是双环门的朋友。

萧少英慢慢地接着道："何况，我就算不去找葛停香，他也绝不会放过我的。"

王锐道："为什么？"

萧少英淡淡道："双环门虽已不认我这个不肖弟子，可是在别人眼里，我活着是双环门里的人，死了也是双环门里的鬼。"

他的声音虽冷淡，可是一双手也已在发抖。

王锐目中不禁露出歉意，黯然道："你虽然错了，可是我们……我们说不定也错了。"

他的话还没有说完，萧少英已改变话题："你们刚才说的话，我已全都听见。"

杨麟冷冷道："我知道你并不聋。"

他对萧少英的态度，就好像王锐本来对他的态度一样。

萧少英却完全不在乎："那天他们去的十三个人中，有几个是你认得的？"

杨麟沉吟着，终于道："只五个。"

萧少英问道："是不是葛停香和'天香堂'属下的四大分堂主？"

杨麟点点头。

那一战天香堂的确已精锐尽出，但天香堂中的好手并不多。

"其余八个人是谁？"

"有四个一直蒙着脸，另外四个，也都是我从未见过的陌生人，想必都是葛停香重金从外地请来的打手。"

萧少英又问："他们的功夫如何？"

杨麟道："都不在天香堂那四大分堂主之下。"

萧少英道："他们的伤亡如何？"

杨麟道："天香堂来的四个人中，死了三个，重伤一个。"

萧少英沉思着，缓缓道："这一战天香堂虽然击败了双环门，他们自己的元气也已大伤，看来真正占了便宜的，只不过是葛停香请来的那八个打手。"

杨麟道："看那八人的武功，绝不是江湖中的无名之辈，却不知他是从哪里找来的？"

王锐忽然道："王桐好像早已在跟着葛停香，只不过一直没有露面而已。"

杨麟道："你怎么知道。"

王锐道："两年前我已在兰州看见过他一次，那时葛停香也在兰州。"

杨麟道："但你却一直没有提起。"

王锐苦笑道："那时我实在没想到葛停香会有这么大的阴谋，这么大的胆子。"

萧少英叹了口气，道："何况，没有人会愿意提起自己伤心事的。"

杨麟仿佛还想说什么，看了王锐一眼，终于闭上了嘴。

萧少英又问道："那八个人之中，武功最高的是谁？"

杨麟毫不考虑，立刻回答："王桐！"

萧少英接道："但他在江湖中并不是一个很有名的人。"

杨麟道："也许他的兴趣并不在成名而在杀人！"

萧少英道："他练的本就是专门为杀人的功夫？"

杨麟道："他的武功并不好看，却极有效。"

萧少英长长吐出口气，苦笑道："那么葛停香这次派出来对付我的，一定也是王桐。"

杨麟道："为什么？"

萧少英道："因为他还摸不清我的底细，何况，他只要出手，就绝不想落空。"

葛停香只要出手一击，的确总是十拿九稳的。

他从不做没有把握的事。

王锐已不禁露出忧虑之色，道："他若是真的已派出王桐来找你，你最好暂时躲在这里。"

萧少英却摇了摇头道："他既然已来找我，我就要让他找到。"

王锐皱眉道："为什么？"

萧少英答道："我一定要让他找到后，才有机会混入天香堂的。"

王锐道："为什么一定要混入天香堂？"

萧少英接道："因为我只有混入天香堂之后，才有机会报仇。"

杨麟突又冷冷道："只可惜死人是没法子为朋友报仇的。"

萧少英笑了笑，道："我还没有死。"

杨麟道："那只因王桐还没有找到你。"

萧少英道："他只要一找到我，我就必死无疑？"

杨麟道："我见过他出手，也知道你的武功。"

萧少英又笑了。

杨麟道："你不信？"

萧少英笑而不答。

杨麟道："我们老大双环的分量，你总该知道的。"

萧少英当然知道。

盛重双环的分量，本就比别人加重了一倍，再加上他手上的力量，那出手一击，的确有开山裂石之力。

杨麟道："可是我亲眼看见老大出手双飞，击中了他的胸膛，他居然像是完全没有感觉。"

萧少英淡淡道："我相信他是个很可怕的人，只不过我总不能躲他一辈子。"

王锐道："你至少可以躲他半个月，等我们的伤好了，再作打算。"

萧少英道："等到那时，我们就能凭三个人的力量，击败天香堂？"

王锐说不出话了。

萧少英目中又露出沉思之色，忽然问道："王桐杀了盛老大之后，就来对付你？"

王锐点点头。

萧少英道："他手下留情，放过了你，也许并不是天良发现。"

王锐道："你想他是为了什么？"

萧少英道："那也许只因为他被盛老大一击之后，已经受了内伤，伤势只到那时才发作。"

王锐接着道："可是别的人……"

萧少英道："那时葛停香正在对付老爷子，当然无暇顾及你，别的人以他马首是瞻，看见他放过了你，也不敢多事出手。"

这推测的确很合理。

合理的推测，总是能令人刮目相看的，连杨麟对他的看法都似已有了改变。

萧少英沉吟着，道："可是盛老大那一击之力，本该立刻致他于死的，他却还能一直支持到那时，所以我想，他身上一定穿着护身甲一类的防身物。"

他又笑了笑，接着道："要杀人的人，总是会先提防着被人杀的……"

杨麟听着他，忽然道："你并不是个真的酒鬼，你并不真糊涂。"

萧少英道："我……"

杨麟打断了他的话，道："你既然不糊涂，两年前的重阳日，怎么会做出那种糊涂事？"

两年前的重阳，萧少英大醉后，居然闯入了老爷子独生爱女的房里去——这就是他被逐出双环门的最大原因。

萧少英眼睛里忽然露出一种无法形容的表情，也不知是悔恨，还是悲伤？

可是他很快就恢复正常，淡淡道："就算最清醒的人，有时也会做出糊涂事的，何况我本就是个四不像的半吊子。"

王锐叹了口气，苦笑道："不管怎么样，你这半吊子想得好像比我们两个加起来还多。"

杨麟道："不管怎么样，他要真的想混入天香堂，还是无异羊入虎口。"

萧少英微笑着，说道："天香堂就算真的是个虎穴，我也可以扮成个纸老虎，让他们看不出我是羊来。"

杨麟不懂，王锐也不懂。

萧少英道："我本来就是被双环门赶出来的人，为什么不能入天香堂？"

杨麟终于懂了："只可惜葛停香并不是个容易上当的人。"

萧少英接道："也许我有法子。"

杨麟道："什么法子？"

萧少英忽然问道："你知不知道荆轲刺秦王的故事？"

杨麟当然知道。

萧少英道："秦始皇也不是个容易上当的人，却还是几乎上了荆轲的当，只因为荆轲带去了一样他最想要的东西。"

每个人都有弱点的。

无论谁看见自己一心想要的东西忽然到手时，总难免兴奋疏忽。

萧少英缓缓地说道："荆轲知道秦始皇想要的是一个人的头颅，所以，他就借了那个人的头颅带去了。"

杨麟动容道："樊将军的人头？"

萧少英道："不错。"

杨麟的脸色变了。

王锐的脸色变得更惨。

他们当然也知道，葛停香想要的，并不是樊於期的人头，而是他们的人头。

杨麟忍不住道："你……你是不是想将我的人头借去见葛停香？"

萧少英不说话，只看着他。

看着他的头。

杨麟的两只手都已握紧，忽然仰天而笑，道："我这颗头颅本已是捡来的，你若真的想要，不妨现在就来拿去。"

萧少英忽然也笑了笑，道："我不想。"

杨麟怔住："你不想？"

萧少英微笑道："我只不过在提醒，你们的头颅，都珍贵得很，千万不能让人拿走。"

杨麟看着他，握紧的手已渐渐放松。

王锐也松了口气，脸上却又露出忧虑之色："你真的有法子对付葛停香和王桐？"

萧少英道："我没有。"

王锐接道："但你却还是要走？"

萧少英打了个哈欠，仿佛觉得酒意上涌，眯着眼道："这里已没有酒，我不走干什么？"

莫非他直到现在才真醉了？

杨麟又忍不住问道："你为什么不把我的头颅带走？"

萧少英叹道："因为这法子已过时了，已骗不过葛停香，你的头颅，也比不上樊将军。"

雨已住。

"我走了，十天后我再来，只希望那时这里已有酒。"

他真的说走就走。

王锐和杨麟看着他走入黑暗里，走下山冈，却不禁对叹了口气。

"你看他究竟是个什么样的人？"

"不管他是怎么样的人，他都已是我们复仇的唯一希望。"

第三章

杀人的人

01

萧少英又醉了。

这次他醉在“老虎楼”，就像是个死人般倒在柜台旁。

一个人醉了后，好像总是会变得比平时重三倍。

有经验的人都知道，要抬起个已烂醉如泥的醉汉，绝不是件容易事。

尤其是萧少英，老虎楼已出动了三个伙计，却连搬都搬不动他。

“这个人简直比石头还重。”

坐在柜台里的老板娘早看得不耐烦了，忍不住冷笑道：“这小子已醉得像是堆烂泥，你们难道连堆烂泥都没有法子对付吗？”

伙计们一个个全都垂下头，不敢开腔。

萧少英却突然张开了一只眼睛，瞪着老板娘，笑嘻嘻道：“你错了。”

老板娘沉下了脸。

她生气的时候，看来还是很媚，尤其是一双眼睛，更可以迷死人。

附近八百里的人都知道，老虎楼的老板娘，是个可以迷死人的女人。

只可惜谁也没有胆子到这里来让她迷一迷。

这地方叫老虎楼，就因为有条母老虎。

母老虎就是这个迷人的老板娘，据说连老板都已被她连皮带骨地吞了下去。

萧少英眯着眼笑道："你看来一点也不老，更不像老虎，我也不是烂泥。"

他好像还生怕别人听不懂，又解释着，说道："形容一个人烂醉如泥，这一个泥字，说的并不是烂泥。"

老板娘居然笑了笑，笑的时候更加迷人："不是烂泥是什么呢？"

萧少英道："是一种小虫，没有骨头的小虫，这种小虫就叫作泥。"

老板娘笑道："看不出你倒还蛮有学问的。"

萧少英也笑了："我本来就是个很有学问的人，而且少年英俊，喜欢我的女人，从这里排队一直可以排到马路上去。"

老板娘突又沉下脸，道："那么你就赶快给我滚到马路上去，不管你是烂泥也好，是小虫也好，都得赶快滚。"

萧少英却还是笑嘻嘻地道："只可惜小虫也不会滚，烂泥也不会滚。"

老板娘冷笑道："你是不是想找死？"

萧少英立刻摇头说道："不想。"

老板娘道："你知不知道我是什么人？"

萧少英道："就因为我知道，所以我才来的。"

老板娘怒道："你究竟想来干什么？"

萧少英道："想来找你陪我睡觉。"

老板娘的脸色变了，伙计们的脸色也变了。

这小子看来真有点活得不耐烦的样子，居然敢到老虎头上来拔毛。

老板娘突然一拍桌子，喝道："给我打，重重地打。"

"打"字说出口，楼上的客人已溜了一大半，七八个伙计却全都围了上来。

也不知是谁提起张板凳，就往萧少英脑袋上砸了下去。

"哎哟"一声，萧少英的脑袋还是好好的，板凳却已四分五裂。

伙计们一惊、一怔，又怒吼着扑上去。

只听"噼噼啪啪"一阵响，扑上去的伙计，全都已踉跄退下，两边脸都已打得又红又肿。

萧少英却还是嬉皮笑脸地躺在地上，看着老板娘，道："我说过，我只不过想来找你陪我睡觉，并不是来挨揍的。"

老板娘狠狠地盯着他，忽然又笑了。

这次她笑得更甜、更迷人，柔声道："你老远地赶来，真的就是为了找我？"

萧少英立刻点头道："绝不假。"

老板娘媚笑道："看来你倒是个有心人。"

萧少英道："不但有心，而且还有情有义。"

"你贵姓？"

"姓萧，吹萧引凤的萧。"

老板娘吃吃地笑道："可惜我不是凤凰，只不过是条母老虎。"

萧少英也吃吃地笑道："可是在我眼里看来，你这条母老虎，简直比三百只凤凰加起来还要美得多。"

老板娘笑道："原来你不但有学问，还很会说话的。"

萧少英眯着眼，道："我还有很多别的好处，你慢慢就会知道的。"

老板娘看着他，眼波更迷人，忽然道："再摆酒菜，我要陪萧公子喝几杯。"

酒是好酒，人是美人。

萧少英本来就已醉了，现在更连想清醒一点点都不行。

老板娘已替他斟满了一大碗，微笑道："我看得出萧公子是英雄，英雄喝酒是绝不会用小酒杯的，我先敬你三大碗。"

"莫说三大碗，就算三百碗，我也喝了。"

萧少英捧起碗，忽又皱起眉，压低声音，道："这酒里有没有蒙汗药？"

老板娘抛个了媚眼，笑道："这里又不是专卖人肉包子的十字坡，酒里怎么会有蒙汗药？"

萧少英大笑，道："对，这酒里当然不会有蒙汗药，何况既然是老板娘亲手倒的酒，就算是毒药，我也照喝不误。"

他果然仰起脖子，"咕嘟咕嘟"地一下子就把一大碗酒全都倒下了肚，又伸出手，摸着老板娘的手，眯起眼道："好白的手，却不知香不香？"

她居然真的把一双又白又嫩的手，送到萧少英鼻子上。

萧少英捧起这双手，就像是条嗅到鱼腥的馋猫，左嗅右嗅，嗅了又嗅，忽然大笑了两声，一个筋斗跌倒在地上，"砰"的一声，竟是头先着地。

老板娘皱眉道："萧公子，你怎么又醉了？"

萧少英躺在地上，一动也不动，这次才真的完全像死人一样。

老板娘忽然冷笑道："放着阳关大道你不走，却偏偏要往鬼门关里来闯。"

她又沉下脸，一拍桌子："拖下去打，打不死算他造化，打死了也活该。”

伙计们已开始准备动手，突听一个人冷冷道：“打不得。”

客人居然还没有走光。

角落里的位子上，还有个灰衣人坐在那里自斟自饮，喝的却不是酒，也不是茶。

他喝的居然是白开水。

到酒楼上来喝白开水的人倒不多，他的人看来也像是白开水一样，平平凡凡，淡而无味，脸上也连一点表情都没有。

老板娘盯了他两眼，厉声道：“你是他的什么人？”

灰衣人道：“我根本不认得他。”

老板娘道：“既然不认得，为什么要来管他的闲事？”

灰衣人道：“因为我也活得不耐烦了。”

他说话的声音也同样单调平淡，就好像和尚在念经，替死人超度亡魂念的那种经。

老板娘冷冷道：“莫非你也是想来找我陪你睡觉的？”

灰衣人道：“不是。”

老板娘冷笑道：“那么你就是来找死……”

灰衣人道：“也不是找死，是找死人。”

老板娘说道：“这里没有死人。”

灰衣人道：“有。”

老板娘忍不住问道：“在哪里？”

灰衣人道：“我数到三，你们若还不滚下楼去，就立刻全都要变成死人！”

老板娘的脸色又变了。

灰衣人已放下杯子，冷冷地看着她。

“一！”

他脸上还是完全没有表情，没有表情却往往就是种最可怕的表情。

老板娘看着他，心里竟不由自主觉得有点发冷。

她见过的英雄不知道有多少，见过的杀人凶手也不知有多少，但却从来没有人能让她觉得害怕。

她实在看不透这个人究竟是个什么样的人，看不透的人，通常也就是最可怕的人。

老板娘倒抽了口凉气，已听见这人冷冷地说出了第二个字。

“二！”

胆小的伙计，已忍不住想溜了，老板娘眼睛里却突然发出了光。

一个轻衫少年已从外面绕过去，绕到灰衣人的身后，手里的刀也在发着光。

这少年正是老板娘的“小老板”，能做老板娘的入幕之宾并不容易。

他不但嘴甜，而且刀快。

老板娘笑了，微笑着向这灰衣人抛了个媚笑，吃吃地笑着道：“你不想要我陪你睡觉，却想找死，难道我长得很难看？”

她长得当然不难看，她只希望这灰衣人能看着她，好让那少年一刀砍下他脑袋来。

灰衣人果然在看着她。

刀光一闪，轻衫少年的刀已劈下。

果然是快刀。

灰衣人没有回头，没有闪避，突然反手一个肘拳撞出去。

楼上每个人立刻全都听见一阵骨头碎裂的声音。

轻衫少年的刀明明已快劈在灰衣人脖子上，只可惜刀锋还没有够着部位，他自己的人已被撞得飞了出去，“砰”地，撞在墙上，再倒下，软成了一摊泥。

不是那种没有骨头的小虫，是泥。

小虫是活的，泥才是死的。

灰衣人还是在冷冷地看着老板娘。

他这反手一撞，既不好看，也没有任何巧妙变化。

他的招式只有一种用处。

——杀人！

“三”字已经快说出来了，老板娘也已笑不出，咬着牙道：“你知不知道这是谁的地方？”

灰衣人道：“是你的地方。”

老板娘道：“但你却还是要我走？”

灰衣人道：“不错。”

老板娘跺了跺脚，道：“好，走就走！”

她的确想走了，谁知就在这时，桌子底下忽然有人道：“走不得。”

桌子底下只有一个人。

一个本来已绝对连动都不能动了的人，可是现在这个人却慢慢吞吞地站了起来。

老板娘又怔住。

她实在想不通，她在酒里下的那种迷药，本来是最有效的一种。

萧少英用两只手抱着头，喃喃道：“好厉害的蒙汗药，好像比我上次在十字坡吃的那种还凶，害得我差点就醒不过来了。”

他忽然向老板娘笑了笑，道：“这种药你还有没有？”

老板娘脸色已发青，道：“你……你还想要？”

萧少英点头道："我最喜欢喝里面加了蒙汗药的酒，你还有多少，我全要。"

老板娘突然转身，想逃下楼去。

只可惜她身子刚转过，萧少英已又笑嘻嘻站在她面前，道："我说过你走不得的。"

老板娘吃吃道："为……为什么？"

萧少英道："你还没有陪我睡觉，怎么能走。"

老板娘瞪着他，一双眼睛又渐渐地眯了起来，嘴角又渐渐露出了迷人的微笑，柔声道："楼下就有床，我们一起走。"

萧少英大笑，忽然出手，一把夹住了她的腰，把她整个人都揪了起来。

可是他并没有下楼，反而走到那灰衣人面前。

灰衣人冷冷地看着他，脸上依然全无表情。

萧少英也看了他几眼，道："你好像真的不认得我。"

灰衣人道："嗯！"

萧少英道："可是别人要打死我的时候，你却救了我。"

灰衣人道："嗯！"

萧少英笑道："我本该谢谢你的，可是我知道你这种人一定不喜欢听谢字。"

灰衣人道："嗯！"

萧少英看着他杯子里的白水，道："你从来不喝酒？"

灰衣人道："有时也喝。"

萧少英道："什么时候你才喝？"

灰衣人答道："有朋友的时候。"

萧少英问道："现在你喝不喝？"

灰衣人道："喝。"

萧少英又大笑，忽然大笑着将老板娘远远地抛了出去，就好像摔掉了只破麻袋。

灰衣人道：“你不要这女人陪你睡觉了？”

萧少英大笑道：“有了朋友，我命都可以不要，还要女人干什么？”

02

夜凉如水，却美如酒。

在屋顶上仰起头，明月当空，繁星满天，好像一伸手就可以摘下来。

摘来下酒。

萧少英和灰衣人，一个人抱一坛酒，坐在繁星下，屋顶上。

“要喝酒，换一个地方去喝吧。”

“为什么要换地方？”

“这地方该死的人还没有死光。”

“那你喜欢在什么地方喝酒呢？”

“屋顶上。”

萧少英大笑道：“好，好极了。”

灰衣人道：“你也在屋顶上喝过酒？”

萧少英笑道：“在棺材里我都喝过。”

灰衣人石板般的脸上居然也露出笑意：“棺材里倒真是个喝酒的好地方。”

“你想不想试试？”

“想。”

“我们先在屋顶上喝半坛，再到棺材里去喝，怎么样？”

“好，好极了。”

半坛酒很容易就喝完了，要找两口可以躺下去喝酒的棺材，却不容易。

萧少英的酒量实在不错，但无论酒量多好，只要是人，就一定有喝醉的时候。

萧少英是人！

现在他眼睛已发直，舌头已大了，喃喃道：“棺材店在哪里，怎么连一家都看不到？”

灰衣人道：“要找棺材，并不一定要到棺材店里找。”

萧少英大笑道：“一点也不错，要吃猪肉，也并不一定要到猪窝去。”

他忽然又不笑了，压低声音，问道：“你知道什么地方有棺材？”

灰衣人道：“有死人的地方，就有棺材。”

萧少英声音压得更低，道：“你知道什么地方有死人？”

灰衣人道：“老虎楼。”

萧少英立刻点头，道：“不错，那里刚才还死了个人。”

刚点完头，忽然又摇头，道：“还是不行。”

灰衣人道：“为什么又不行呢？”

萧少英道：“那里只死了一个人，最多也只有一口棺材。”

灰衣人道：“两个人既然可以用一张桌子喝酒，为什么不能坐在一口棺材里喝？”

萧少英又大笑道：“一点也不错，我们两个人都不胖，就算躺在一口棺材里，也足足有余。”

03

老虎楼后面的小院子里，果然摆着口棺材。

崭新的棺材，上好的木头，四面的棺材板都有一尺多厚。

看来这老板娘倒是个有情有义的人，并没有因为人死了就忘了旧情。

可是死人还没有摆进去。

店已打了烊，楼上却还亮着灯光，显然还有人在上面为死人穿寿衣。

萧少英拍了拍棺材板，喃喃道："这倒是口上好的楠木棺材，我死了之后，能有这么样一口棺材，也就心满意足了。"

灰衣人道："你一定会有的。"

萧少英道："为什么我一定会有？"

灰衣人道："因为你有朋友。"

萧少英大笑，笑声刚发出，又立刻自己掩住了嘴："现在我们还没有开始喝酒，若被人发现了，岂非煞风景。"

灰衣人道："所以你就该赶快躺进去，赶快开始喝。"

萧少英道："你呢？"

灰衣人道："我不急。"

萧少英一条腿伸进了棺材，忽然又缩回来，笑道："你是客人，我应该让你先进去。"

灰衣人道："不客气，你先请。"

萧少英又笑了："先进棺材又不是什么好事，有什么好客气的。"

他终于还是抱着酒坛子，先坐了进去。

灰衣人看着他，眼睛忽然露出种很奇怪的表情，道："棺材里面怎么样？"

萧少英笑道："舒服极了，简直比坐在床上还舒服。"

灰衣人淡淡道："你觉得很满意？"

萧少英笑道："满意极了。"

灰衣人冷冷道："那么现在这口棺材就是你的了，你就躺下去死吧。"

萧少英好像还听不懂他的话，笑嘻嘻道："酒还没喝完，怎么能死？"

灰衣人道："不能死也得要死。"

最后一个"死"字刚说出口，他的手已闪电般伸出，斜切萧少英的后颈。

这一着也完全没有花招变化，却也是杀人的招式。

萧少英就算很清醒，就算手脚都能活动自如，也未必能避开这一掌。

何况他现在已经醉了，又已坐在棺材里。

棺材总是不会太宽敞的，能活动的余地绝不会太多——死人本就不会再需要活动的。

这灰衣人要杀人的时候，居然还先要人自己躺进棺材里再动手。

他不但出手快，用的法子也实在太巧妙，他实在已可算是个杀人的专家。

萧少英已闭上眼睛。

遇到了这么样一个人，除了闭上眼睛等死之外，还能怎么样？

只听"波"的一声，有样东西已被击碎，鲜血大量涌出来。

碎的却不是萧少英的头，而是酒坛子，流出来的也不是血，是酒。

灰衣人这闪电的一掌，也不知是怎么回事，竟砍在酒坛子上了。

萧少英却好像还不明白是怎么回事，直着眼睛怔了半天，才大声道："我们讲好了一起找个棺材喝酒的，你怎么把我的酒坛子打破？"

灰衣人冷冷地看着他，好像也看不透这个人究竟是怎么一回事。

"你醉了？"

萧少英火更大："谁说我醉了，我比狐狸还清醒十倍。"

灰衣人道："你还要喝？"

萧少英道："当然要喝。"

灰衣人的心沉了下去。

直到现在，他才发现自己好像已落入了个他做梦也想不到的圈套。

灰衣人道："好，我这里还有酒。"

他将左手抱着的酒坛子递过去，萧少英立刻就笑了，却不肯接下这坛酒。

"你为什么还不坐进来？"萧少英道。

"一个人坐在这里喝酒有什么意思？"萧少英又道。

灰衣人又盯着他看了半天，终于道："好，我陪你喝。"

萧少英展颜笑道："这才是好朋友，今天你陪我喝酒，改天你就算叫我陪你死，我也不会皱一皱眉头。"

灰衣人嘴角又露出了种残酷的笑意，终于迈进棺材，坐了下去。

萧少英问道："你还有多少酒？"

灰衣人道："还有一大半。"

萧少英道："好，我们一个人喝一口，谁也不许多喝。"

灰衣人接着道："好，你先喝。"

萧少英道："你是客人，你先喝。"

灰衣人只有捧起了酒坛子。

跟一个已喝醉了的醉汉争执，就好像跟长舌妇斗嘴一样的愚蠢。

谁知他这口酒还没有喝下去，“波”的一响，手里的酒坛子竟被打碎，暗褐色的酒就像是血一样，溅得他满身都是。

灰衣人脸色刚变了变，萧少英的人竟已扑了过来，压在他身上。

棺材里根本没有闪避之处，他也想不到萧少英会这么样不要命的蛮干。

他身子虽被压住，手已腾出来，按住了萧少英后腰的死穴。

谁知就在这时，突听“砰”的一响，眼前突然一片黑暗。

棺材的盖子竟已被人盖了起来。

灰衣人这才吃了一惊，想推开萧少英，谁知这醉鬼的人竟比石头还重。

也就在这时，外面已“叮叮咚咚”地响了起来，竟会有人在外面把这一口棺钉上了钉子，封死了。

04

棺材里又黑又闷，再加上萧少英的一身酒臭，那味道简直要令人作呕。

灰衣人终于长长叹了口气，道：“难道你早已知道我是什么人？”

萧少英笑了笑，道：“你叫王桐，是个杀人的人，而且是来杀我的。”

他的声音已变得很冷静，竟似连一点醉意都没有。

他没有说错。

王桐只觉得胃部收缩，几乎已忍不住真的要呕吐。

萧少英道：“你当然也已知道我是什么人。”

王桐道："但我却不懂你这是什么意思？"

萧少英道："你是应该懂得的。"

王桐的手又按到他死穴上，冷冷道："我现在还是随时都可以杀了你。"

萧少英道："你若杀了我，你自己就得活活地烂死在这棺材里。"

王桐挥手，猛击棺材。

棺材纹丝不动。

萧少英悠然道："没有用的，一点也没有用，这是口加料特制的棺材，你手里就算有一把斧头，也休想能劈得开。"

王桐道："难道你自己也不想活着出去？"

萧少英笑道："既然是好朋友，要喝酒就在一起喝，要死也一起死。"他又叹了口气，道，"何况，你既然知道我是谁，就该知道我本就已是个快死的人。"

王桐道："哦。"

萧少英道："双环门不要我，天香堂又一心要我的命，我活着本就已没有什么意思，何况，葛停香若已准备要一个人死，这人怎么还活得下去。"

王桐冷笑，但心里却不能不承认，他说的是事实。

萧少英道："可是我就算要死，也得找个垫背的，陪我一起死。"

王桐道："你为什么要找上我？"

萧少英接着道："我并没有找你，是你自己来找我的。"

王桐突又冷笑，道："就算要死，我也要你比我先死。"

萧少英淡淡道："你若先杀了我，一个人在棺材里岂非更寂寞？我若死了，你陪着个死人躺在棺材里，那滋味岂非更不好受？"

他微笑着，又说道："所以，我知道你一定绝不会出手杀死我的，我们究竟是谁先死，现在还没有人知道。"

王桐咬着牙，道："我若先死了，你还可以叫那老板娘放你出去？"

萧少英道："很可能。"

王桐道："你跟她本是串通好的？"

萧少英笑道："这次你总算说对了。"

王桐道："你们故意演那一出戏给我看，为的就是要激我出手。"

萧少英道："因为我知道你喜欢杀人，绝不会让我死在别人手里。"

王桐道："我也看得出那些人根本杀不了你。"

萧少英接着道："所以你乐得做个好人，让我感激你，就不会再提防着你，你出手杀我时，就一定会方便得多了。"

他又叹了口气，苦笑道："你甚至还要我自己先躺进棺材再出手，这岂非太过分了些？"

王桐沉默着，过了很久，也不禁叹道："看来我好像低估了你。"

萧少英接着道："你本来就是。"

王桐问道："你究竟想要什么？"

萧少英道："想死。"

王桐冷笑道："谁也不会真想死的。"

萧少英接口道："你也不想死？"

王桐没有否认。

萧少英又笑了笑，悠然道："不想死也有不想死的办法。"

王桐道："什么办法？"

萧少英问道："葛停香是不是很信任你？"

王桐道："嗯。"

萧少英道："你的朋友他当然也会同样信任。"

王桐冷冷道："我没有朋友。"

萧少英接道："你有，我就是你的朋友。"

王桐道："哼。"

萧少英道："两个人若是被人封死在一口棺材里，不是朋友也变成了朋友。"

王桐沉默了很久，缓缓道："我若说别的人是我朋友，他也许会相信，但是萧少英……"

萧少英道："萧少英并不是双环门的弟子，萧少英已被双环门赶了出去。"

王桐道："你难道要我带你去见他？"

萧少英道："你可以告诉他，萧少英不但已和双环门全无关系，而且也恨不得双环门的人全都死光死绝，所以……"

王桐道："所以你认为他就一定会收容你？"

萧少英道："现在天香堂正是最需要人手开创事业的时候，我的武功不弱，人也不笨，他应该用得着我这种人。"

他微笑着，又道："你甚至可以推荐我做天香堂的分堂主，我们既然是朋友，我能在天香堂立足，对你也有好处。"

王桐沉默着，似乎在考虑。

萧少英道："以你在他面前的分量，这绝不是做不到的事。"

王桐道："你为什么要这样做？"

萧少英道："我喜欢喝酒，又喜欢女人，这些都是需要花钱的事。"

王桐道："你想要钱？"

萧少英道："当然想要，而且愈多愈好。"

王桐道："你为什么不去做强盗？"

萧少英道："就算要做强盗，也得有个靠山，现在我却像个孤魂野鬼一样，随时都得提防着别人抓我去下油锅。"

王桐道："所以你要我拉你一把。"

萧少英道："只要你肯，我绝不会忘了你对我的好处。"

王桐接口道："可是我为什么要这么做？"

萧少英道："因为这本是彼此有利的事。"

王桐道："我若不肯呢？"

萧少英淡淡道："那么我们就只好一起烂死在这棺材里。"

王桐突然冷笑，道："你以为我怕死？"

萧少英道："你不怕？"

王桐冷冷道："我这一生中，根本就从未将生死两字放在心上。"

萧少英道："真的？"

王桐闭上了嘴，拒绝回答。

萧少英叹了口气，道："既然你不答应，我们就只有在这里等死了。"

王桐根本不睬他。

萧少英道："这棺材下面虽然有洞可以通气，但是我已跟老板娘约好，半个时辰后我若还没有把消息传出去，她就会把这口棺材埋入土里了。"

他叹息着，喃喃道："被活埋的滋味，想必不太好受。"

王桐还是不理不睬。

棺材里的两个人，好像都已变成了死人。

萧少英也已闭上眼睛在等死。

也不知过了多久，就好像已过了几千几百万年一样，两个人身上，都已汗透衣裳。

忽然间，棺材似已被抬了起来。

萧少英淡淡道："现在她只怕已准备把我们埋进坟地里了。"

王桐冷笑，笑得却已有点奇怪。

死，毕竟是件很可怕的事。

棺材已被抬上了辆大车，马车已开始在走。

这地方距离坟场虽不近，却也不太远。

王桐忽然道："就算我肯帮你去说这些话，葛老爷子也未必会相信。"

萧少英道："他一定会相信的。"

王桐道："为什么？"

萧少英道："因为我本就是个浪子，从小就不是好东西。"

王桐冷冷道："这点我倒相信。"

萧少英道："像我这种人，本就是什么事都做得出的，何况，你说的话，在他面前也一向都很有分量。"

王桐似乎又在考虑。

萧少英道："这两点若还不够，我还可以想法子带两件礼物去送给他。"

王桐道："什么礼物？"

萧少英道："两颗人头，杨麟和王锐的人头。"

王桐深深吸了口气，似已被打动。

萧少英道："斩草不除根，春风吹又生，留着这两人，迟早总是祸害，这一点葛老爷子想必也是清楚得很。"

王桐道："这两人本就已死定了。"

萧少英道："但我却可以保证，你们就算找一百年，也休想能找到他们。"

王桐道："你能找得到？"

萧少英肯定地道："我当然有法子。"

王桐迟疑着，问道："我若答应你，你是不是能够完全信任我？"

萧少英道："不能。"

他苦笑着道："你现在答应了我，到时候若是翻脸不认人，我岂非死定了？"

王桐道："既然你不相信我，这些话岂非全都是白说的？"

萧少英道："但你却一定可以想出个法子让我相信你。"

王桐道："我想不出。"

萧少英道："我可以替你想。"

王桐道："说来听听。"

萧少英道："这里虽然很挤，可是我若往旁边靠一靠，你还是可以把衣裳脱下来的。"

他笑了笑，接下去又说道："你既不是女人，我也没有毛病，所以你大可以放心，我绝不想来非礼你。"

王桐好像已气得连话都说不出。

萧少英道："我只不过要你将身上的护身金丝甲脱下来，让我穿上，那么你就算到时反悔，我至少还有机会可以逃走。"

王桐冷笑道："你在做梦。"

他又闭上了嘴，拒绝再说一个字，他对这护身甲显然看得很重。

这时马车已停下。

他们已可听见棺材外面正有人在挖坟。

萧少英叹了口气，道："看来用不着再过多久，我们就要入土了。"

王桐道："所以你最好也闭上嘴。"

萧少英道："现在我只有最后一句话要问你。"

王桐道："好，你问吧。"

萧少英道："你这一辈子，究竟杀过多少人？"

王桐迟疑着，终于道："不多，也不少。"

萧少英道："你出道至少已有二十年，就算你每个月只杀一个人，现在已杀了两百四十个。”

王桐道：“差不多。”

萧少英叹了口气，道：“看来我还是比你先死的好。”

王桐忍不住问道：“为什么？”

萧少英道：“死在你手下的那两百四十个人，冤魂一定不会散的，现在只怕已在黄泉路上等着你，要跟你算一算总账了。”

王桐忽然激灵灵打了个寒噤。

萧少英道：“你活着的时候是个杀人的人，却不知你死后能不能变成个杀鬼的鬼，我不如还是早死早走，也免得陪你一起遭殃。”

王桐用力咬着牙，却已连呼吸都变得急促了起来。

那些惨死在他手下的人，那一张张扭曲变形的脸，仿佛已全都在黑暗中出现。

他愈不敢想，却偏偏愈要去想。

“砰”的一声，棺材似已被抛入了坟坑。

萧少英道：“我要先走一步了，你慢慢再来吧。”

他抬起手，竟似已准备用自己的手，拍碎自己的天灵。

王桐忽然一把抓住了他的手，嘶声道：“你……你……”

“你要我怎么样？”

萧少英已感觉出他手心的冷汗，悠然道：“是不是要我等你脱衣裳？”

第四章

盘　问

01

护身甲是用一种极罕有的金属炼成柔丝，再编织成的。

现在这护身甲已穿在萧少英身上，他虽然觉得很热，却很愉快，忍不住笑道：“这的确是件价值连城的宝物，难怪你舍不得脱下来。”

王桐铁青着脸，好像听不见似的。

老板娘正在为他斟酒，嫣然道：“可是无论多么贵重的宝物，也比不上自己的性命珍贵，你说对不对？”

酒杯刚斟满，王桐就立刻一饮而尽。

他现在竟似已很想喝醉。

萧少英大笑，道：“一醉解千愁，他处不堪留，你若真的喝醉过一次，说不定也会跟我一样，变成个酒鬼。”

老板娘媚笑着，柔声道：“在棺材里闷了半天，你们倒真该多喝几杯。”

王桐忽然道：“你也早已知道我是谁？”

老板娘道：“我听他说过。”

王桐道：“你也听说过天香堂？”

老板娘道：“当然。”

王桐道：“天香堂对仇家的手段，你知不知道？”

老板娘道：“我知道。”

王桐道：“但你却还是照样敢帮他对付我？”

老板娘叹了口气，道：“这个人前前后后，已经在这里欠了三千多两银子的酒账，我若不帮他一手，这笔账要等到哪天才能还清？何况……”

王桐冷冷道：“何况你还陪他睡过觉。”

老板娘的脸红了，又轻轻叹了口气，道：“我本来不肯的，可是他……他的力气比我大。”

王桐看了看她，又看了看萧少英，忽然大笑。

萧少英却怔住。

他从来也想不到这个人也会这么样大笑的。

王桐大笑着，拍着他的肩，道：“看来你的确是很缺钱用，而且真的色胆包天。”

萧少英也笑了：“我说的本就是实话。”

王桐道：“葛老爷子一定会喜欢你这种人。”

萧少英大喜：“真的？”

王桐点点头，压低声音，道：“因为他自己也是一个酒色之徒。”

酒杯一斟满，就喝光，一喝光，就斟满，他似也有些醉了。

萧少英道：“老爷子也常喝酒？”

王桐道：“不但天天喝，而且一喝就没个完，不喝到天亮，谁都不许走。”

萧少英眨了眨眼，道：“现在天还没有亮。”

现在夜色正浓，从坟场回来的路虽不太远，也不太近。

王桐忽然一拍桌子，道：“他现在一定还在喝酒，我正好带你去见他。”

萧少英眼睛里发出了光，道："你知道他也在这城里？"

王桐挺起胸："我不知道谁知道？"

萧少英道："我们现在就走？"

王桐道："当然现在就走。"

两个居然说走就走，走得还真快。

老板娘看着他们下楼，忽然又叹了口气，喃喃道："这两个人究竟是谁真的醉了？"

她自己喝了杯酒，又不禁苦笑："也许他们都没有醉，醉的是我！"

02

葛停香果然还在喝酒。

他喝得很慢，但却很少停下来，喝了一杯，又是一杯。

在旁边为他斟酒的当然是郭玉娘，她也陪着喝一点。

无论葛停香做什么，她都在陪着，最近她好像已变成了葛停香的影子。

酒已喝了两壶，葛停香一直都在皱着眉。

郭玉娘看着他，柔声道："你还在想杨麟和王锐？"

葛停香板着脸，用力握着酒杯："我想不通，四五十个大活人，去抓两个半死不活的残废，为什么抓了七八天还抓不到？"

郭玉娘沉吟着，道："我也有点想不通，那天他们怎么能逃走的？"

葛停香道："那是我的意思。"

郭玉娘道："你故意要放他们逃走的？"

葛停香点点头。

郭玉娘更想不通了：“为什么？”

葛停香道：“因为我想查明一件事。”

“什么事？”

“我想看看这附近地面上，是不是还有双环门的党羽，还有没有人敢窝藏他们？”

“所以你故意让他们逃走，看他们会逃到什么地方去？”

“不错。”

郭玉娘叹了口气，道：“只可惜这两个人一逃走之后，就连影子都看不见了。”

葛停香脸上现出怒容，恨恨道：“若连这两个残废都抓不到，天香堂还能成什么大事！”

“波”的一声，他手里的酒杯已被捏得粉碎。

郭玉娘轻轻握住了他的手，柔声道：“就凭那两个残废，想必也成不了什么大事，你又何必那么生气？”

葛停香沉着脸，道：“斩草就得除根，留着他们总是个祸根。”

郭玉娘道：“不管怎么样，王桐总是一定能找到萧少英的。”

葛停香又握紧了拳，道：“我养着这些人，能办事的好像已只剩下一个王桐。”

郭玉娘道：“他跟着你是不是已有很久？”

葛停香道：“嗯。”

郭玉娘道：“他一直都很可靠？”

葛停香道：“绝对可靠。”

郭玉娘眼波流动，道：“我想，江湖中一定还有很多像王桐这样的人。”

葛停香道：“就算有，也很难找。”

郭玉娘道："我们可以慢慢地找，现在双环门既垮了，西北一带，已绝不会有人敢再来动我们的，我们反正不着急。"

她又换个酒杯，替他斟了杯酒。

葛停香举杯在手，沉思着，喃喃道："我手下只要能多有一两个像王桐那样的人，天香堂就不仅要在西北一带称雄了。"

郭玉娘看着他，本已亮如秋星的一双眼睛，似已变得更亮。

男儿志在四方，在英雄们的眼中来看，西北的确只不过是个小地方而已。

葛停香忽然问道："你知不知道江湖中有个'青龙会'？"

郭玉娘道："我好像听说过。"

葛停香道："你听说了些什么？"

郭玉娘答道："听说青龙会已经是天下势力最大的一个秘密组织，在中原一带，到处都有他们的分坛。"

葛停香道："何止中原一带而已。"

郭玉娘睁大了眼睛："还不止？"

葛停香道："青龙会属下的分坛，一共有三百六十五处，南七北六十三省，所有比较大的城市里，几乎都有他们的势力。"

郭玉娘轻轻吐出口气，道："难怪江湖中人一提起青龙会来，都要心惊胆战了。"

葛停香冷笑道："但青龙会的事业，也是人做出来的，青龙会他们能够雄霸天下，天香堂为什么不能？"

他举杯一饮而尽，重重一拍桌子，又不禁长长叹息："只可惜……只可惜天香堂里，缺少了几个如龙似虎的人而已。"

郭玉娘握紧了他的手："我相信你将来一定可以得到的，你不但有知人之明，而且，还有用人的雅量。"

对一个空有满胸大志，却未能一展抱负的英雄说来，世上还有什么事能比一个美人的安慰更可贵。

葛停香仰面大笑："好，说得好，只要你好好跟着我，我保证你必定可以看到那一天……"

他的笑声突然又停顿，厉声喝问道："什么人？"

"葛新。"

"什么事？"

"王桐求见。"

葛停香霍然长身，喜动颜色："王桐已回来？"

"就在门外。"

"叫他进来，快。"

03

门外的长廊里虽然还燃着灯，却还是显得很阴暗，门是雕花的，看来精美而坚固。

一个人垂手肃立在门外，脸色也是阴暗的，仿佛已很疲倦。

但他却还是笔笔直直地站着，睁大了眼睛，低垂着头。

无论谁都看得出他是个老实人。

天香堂总堂主的密室外，居然只有这么样一个老实而疲倦的人在看守，倒是萧少英所想不到的事。

他斜倚着栏杆，在等着，等王桐。

王桐已进了密室，开门的时候，他仿佛看见了一个苗条的人影，还嗅到一阵阵酒香。

"看来葛停香果然也是酒色之徒。"

萧少英笑了。

古今的英雄，又有几人不贪杯好色？只可惜贪杯好色的却大半都不是英雄好汉。

老实人虽然低垂着头，却在用眼角偷偷地打量着这个衣冠不整，又懒散，又爱笑的少年。

萧少英也在看着他，忽然问道："贵姓？"

"姓葛，叫葛新。"

"这里的家丁都姓葛？"

"是的。"

"这里只用姓葛的人做家丁？"

"不一定，你若肯改姓，也可以做这里的家丁。"

这老实人不但有问必答，而且答得很详细。

萧少英又笑了。

他的确爱笑，不管该不该笑的时候，他都要笑。

他虽然总是穷得不名一文，但笑起来的时候，天下的财富全都好像是他一个人的。

葛新对这个人显然也觉得很好奇，忽然也问道："贵姓？"

"姓萧，萧少英。"

"你是不是也想来找个事做？"

"是的。"

"你也愿意改姓？"

萧少英笑道："我并不想做这里的家丁。"

葛新道："你想干什么？"

萧少英道："听说这里四个分堂主的位子，都有了空缺。"

葛新也笑了。

他笑的样子很滑稽，因为他不常笑。

可是他觉得萧少英比他更滑稽。

这少年居然一来就想做分堂主，他实在想不到世上竟真有这么滑稽的人。

他还没有笑出声音来，门内却已传出葛停香的声音："葛新。"

"在。"

"叫门外面的人进来。"

门开了，是为萧少英而开的。

王桐已经在葛停香面前说了些什么？葛停香准备怎么对他？

萧少英完全不管。

他对自己充满了信心。

他挺起胸膛，走了进去，还没有走进门，忽然又附在葛新耳畔，轻轻地说："我现在走进去，等我出来的时候，就一定已经是这里的分堂主了，所以你最好现在就开始想想，应该怎么样拍我的马屁。"

这次葛新没有笑。

他看着萧少英走进去，就好像看着个疯子走进自己挖好的坟墓一样。

04

萧少英身上穿的衣服，本来是崭新的，质料高贵，剪裁合身，手工也很精致，只可惜现在已变得又臭又脏，还被勾破了几个洞。

衣袋里当然也是空的，空得就像是个汁已被吸光的椰子壳。

可是他站在葛停香面前时，却像是个出征四方，得胜回朝的大将军。

葛停香看着他，从头到脚，看了三遍，忽然道："你这身衣裳多少钱一套？”

他第一句问的竟是这么样一句话，实在没有人能想得到。

萧少英却好像并不觉得很意外，立刻回答：“连手工带料子，一共是五十两。”

葛停香道：“这衣服好像不值。”

萧少英道：“我一向是个出手大方的人。”

葛停香道：“你知不知道五十两银子，已足够一家八口人舒舒服服过两三个月了。”

萧少英道：“不知道。”

葛停香道：“你不知道？”

萧少英道：“我从来没有打过油，买过米。”

葛停香道：“这身衣服你穿了多久？”

萧少英道：“三天。”

葛停香看着他衣服上的泥污、酒渍和破洞，才道：“身上穿着这种衣服，无论走路、喝酒都该小心些。”

萧少英道：“我并没有打算穿这种衣服过年。”

葛停香道：“一套衣服你通常穿多久？”

萧少英道：“三天。”

葛停香道：“只穿三天？”

萧少英道：“无论什么样的衣服，我只要穿三天，都会变成这样子的。”

葛停香道：“衣服脏了可以洗。”

萧少英道：“洗过的衣服我从来不穿。”

郭玉娘笑了。

萧少英也笑了。

他的眼睛根本就一直都在围着郭玉娘身上打转。

葛停香却仿佛没有注意到，脸上非但没有怒色，眼睛里反而带着笑意，又问道：“你一个月通常要花多少两银子？”

萧少英道：“有多少，就花多少。”

葛停香道：“若是没有呢？”

萧少英答道：“没有就借，借不到就欠。”

葛停香道：“有人肯借给你？”

萧少英道：“多多少少总有几个的。”

葛停香问道：“都是些什么人？”

萧少英坦率道：“都是些旧人。”

葛停香道：“老虎楼的老板娘就是其中之一？”

萧少英道：“她是个很大方的女人。”

他微笑着，用眼角瞟着郭玉娘：“我喜欢大方的女人。”

葛停香道：“她不但肯借给你，而且还时常跟你串通好了骗人？”

萧少英道：“我们骗过的人并不多。”

葛停香道：“但你们却骗过了王桐，而且还想出了个很巧妙的圈套，逼着他将身上的护身甲都脱下来给你穿，逼着他带你来见我。”

萧少英显得很惊奇：“你知道的事好像不少。”

葛停香道：“你想不到他会将这些事全都告诉我？”

萧少英接道：“这些本来是很丢人的事。”

葛停香冷冷地接着说道：“无论什么事，他都从来没有瞒过我，所以他现在还能活着，而且也活得很好。”

萧少英道：“我看得出来，我也很想过过他这种好日子。”

葛停香道：“所以你要来见我？”

萧少英道：“不错。”

葛停香忽然沉下脸，盯着他，一字字道：“你不是来等机会复仇的？”

萧少英叹了口气，道："你问我的那些话，每一句都问得很巧妙，我本来认为你已知道我是个什么样的人了。"

葛停香道："像你这种人，难道就不会替别人报仇？"

萧少英淡淡地道："我至少不会放着好日子不过，偏偏要往油锅里去跳。"

他接着又道："何况我早已看出王桐是你的好帮手，我若真的要复仇，为什么不杀了他？"

葛停香道："你能杀得了他？"

萧少英道："他的护身甲，已穿在我身上，我若真的想杀他，他根本就休想活着走出棺材。"

葛停香冷笑道："你真的很有把握？"

萧少英突然出手，拿起他面前的一杯酒，大家只觉得眼前一花，酒杯又已放在桌上，杯中的酒却已空了。

葛停香又盯着他看了很久，慢慢地点了点头，道："你出手果然不慢。"

萧少英微笑道："我喝酒也不慢。"

葛停香目中又露出笑意，道："可是你做得最快的一件事，还是花钱。"

萧少英笑道："所以我不能不来，这世上大方的女人并不多。"

葛停香道："你认为我会给你足够的钱去花？"

萧少英道："我值得，你也比盛天霸大方得多。"

葛停香大笑，道："好，好小子，总算你眼光还不错。"

萧少英微笑道："能时常借到钱的人，看人的眼光总是不会太差的。"

借钱的确是种很大的学问，绝不是每个人都能学会的。

葛停香笑声突又停顿，道："但你却忘了一件事。"

萧少英道："什么事？"

葛停香道："你好像还有两样礼物，应该带来送给我。"

萧少英又笑了，道："你也忘了一句话。"

葛停香道："什么话？"

萧少英道："礼尚往来，来而不往，就不能算是礼了。"

葛停香道："我还没有'往'，所以你的礼也不肯来？"

萧少英笑道："你是前辈，见到后生小子，总该有份见面礼的。"

葛停香道："你想要什么？"

萧少英道："这两年来，我一共已欠了三四万两银子的债。"

葛停香道："我可以替你还。"

萧少英道："还清了债后，还是囊空如洗，那滋味也不太好受。"

葛停香道："你还要多少？"

萧少英道："一个男人身上至少也得有三五万两银子，走出去时才能抬得起头。"

葛停香微笑道："看来你的胃口倒不小。"

萧少英道："一个男人要扬眉吐气，只有钱还不够的。"

葛停香道："还不够？"

萧少英道："除了钱，还得有权势。"

葛停香道："你想做提督？做宰相？"

萧少英笑道："在我眼里看来，十个提督，也比不上天香堂的一个堂主。"

葛停香冷笑道："你的胃口也未免太大了。"

萧少英道："我只不过恰巧知道天香堂里正好有几个分堂主的空缺而已。"

葛停香道："你还知道什么？"

萧少英道："我还知道一个人若不能扬眉吐气，就绝不会出卖自己，再出卖朋友的。”

葛停香沉下脸，道：“杨麟和王锐是你的朋友？”

萧少英淡淡道：“就因为我是他们的朋友，你不是，所以我才能找到他们，把他们的头颅割下来送人，而你却连他们的下落都不知道。”

葛停香道：“就因为王桐也认为你已把他当作朋友，所以才会被你骗进棺材。”

萧少英道：“你说得一点也不错。”

他微笑着，悠然道：“朋友有时远比最可怕的仇敌还危险这句话，我始终都记得。”

葛停香又大笑：“好，说得好，就凭这句话，已不愧是天香堂属下的分堂之主。”

萧少英道：“可惜现在我还不是。”

葛停香道：“现在你已经是了。”

萧少英喜动颜色，道：“听到好消息，我总忍不住想喝几杯。”

葛停香道：“这消息够不够好？”

萧少英道：“这消息至少值得痛饮三百杯。”

葛停香大笑道：“好，拿大杯来，看他能够喝多少杯！”

黄金杯，琥珀酒。

郭玉娘用一双柔美莹白的纤纤玉手捧着，送到萧少英面前。

“请。”

萧少英接过来就喝，喝了一杯又一杯，眼睛却一直在盯着郭玉娘，就好像蚊子盯在血上面一样。

葛停香却一直在看着他，终于忍不住道：“你知不知道你一直在盯着的是什么人？”

萧少英道：“我只知道她是个值得看的女人。”

葛停香道："你只不过想看看？"

萧少英道："我还想……"

葛停香忽然打断了他的话，冷冷道："无论你还想干什么，都最好不要想。"

萧少英居然还要问："为什么？"

葛停香道："因为我说的。"

他沉着脸，一字字地道："现在，你既然已经是天香堂属下，无论我说什么，都是命令，你只能听着，不能问。"

萧少英答道："我明白了。"

葛停香展颜道："我看得出你是个明白人。"

他忽然从桌下的抽屉里取出叠银票，道："这里是五万两，除了还账外，剩下的想必已足够你花几天了。"

萧少英没有伸手拿。

葛停香道："你现在就可以拿去，我知道你喝了酒后，一定想找女人的。"

萧少英苦笑道："我已看出你是个明白人，只可惜……"

葛停香道："可惜什么？"

萧少英道："只可惜还不够。"

葛停香道："你刚才要的岂非只有这么多？"

萧少英道："刚才我只不过是一文不名而且还欠了一屁股债的穷小子，最多只能够要这么多。"

葛停香道："现在呢？"

萧少英挺起胸膛道："现在我已是天香堂属下的堂主，身份地位都不同了，当然可以多要一点。"

他笑嘻嘻地接着道："何况，天香堂里的分堂主走出去，身上带的银子若不够花，老爷子你岂非也一样面上无光？"

葛停香又禁不住地大笑，道：“好，好小子，我就让你花个够。”

他果然又拿出叠银票，又是五万两。

萧少英接过来，连看都没有看一眼，随随便便地就塞进靴筒里。

郭玉娘忽然道：“你已有几天没洗脚？”

萧少英道：“三天。”

郭玉娘道：“你把银票塞在靴子里，也不怕臭？”

萧少英笑了笑道：“只要能兑现，无论多臭的银票，都一样有人抢着要。”

郭玉娘也不禁笑了。

她本已是个女人中的女人，笑起来更媚。

她笑的时候，能忍住不看她的男人，天下只怕也没有几个。

这次萧少英却居然没有看她。

葛停香脸上已露出满意之色，忽然问道：“你的礼什么时候送给我？”

萧少英道：“三天。”

葛停香道：“三天已够？”

萧少英道：“我也从不做没把握的事。”

葛停香微笑点头道：“好，我就等你三天。”

萧少英道：“三天后的子时，我一定将礼物送来。”

葛停香道：“准在子时？”

萧少英点点头，道：“只不过我也有个条件。”

葛停香道：“你说。”

萧少英道：“这三天中，我的行动一定要完全自由，你绝不能派人跟踪，否则……”

葛停香道：“否则怎么样？”

萧少英道：“否则那礼物若是忽然跑了，就不能怪我。”

葛停香沉吟着，终于点头，道：“我只希望你是个守信守时的人。”

萧少英冷冷道：“你若信不过我，现在杀了我还不迟。”

葛停香微笑道：“我为什么要用一个死人做我的分堂主？”

萧少英也笑了。

葛停香道：“你现在已不妨走，最好找个地方大睡一觉，养足了精神好办事。”

萧少英笑道：“身上带着十万两银子，若不花掉一点，我怎么睡得着？”

郭玉娘已替他拉开门，嫣然道：“你好生走，我叫葛新为你带路。”

萧少英道：“多谢。”

葛停香忽然冷笑道：“我给了你十万两，让你做分堂主，你连半个谢字都没有，她只不过替你拉开门，你就要谢她。”

萧少英道：“我只能谢她，不能谢你。”

葛停香道：“为什么？”

萧少英淡淡道：“因为我已把我的人都卖给了你，还谢你干什么？”

他大步走出去，走到葛新面前，拍了拍他的肩，笑道：“你现在已经可以拍我的马屁了。”

第五章

密　谋

01

黄昏后。

萧少英还没有睡，却已醉了。

这次看来是真的醉了。

留春院里，虽然有好几个红倌人都已被他包下，洗得干干净净的在等着他。

他自己却偷偷地溜了出来，摇摇晃晃地溜上了大街，东张张，西望望，花了五百两银子，买回只值五分银子的哈密瓜，却又随手抛进阴沟。

因为他又嗅到了酒香。

立刻又摇摇晃晃地冲上了酒楼。

现在虽然正是酒楼上生意最好的时候，还是有几张桌子空着。

他却偏偏不坐，偏偏冲进了一间用屏风隔着的雅座，今天是庞大爷请客，请的是牛总镖头，酒席就摆在雅座里。

伙计们以为他也是庞大爷请来的客人，也不敢拦着他。

庞大爷的客人，是谁也不敢得罪的。

牛总镖头已到了，还带来了几个外地来的镖头，每个人都找到了个姑娘陪着。

大家已喝得酒酣耳热，兴高采烈，萧少英忽然闯进去，拿起了桌上的大汤碗，伸着舌头，笑嘻嘻道：“这碗汤不好，我替你们换一碗。”

他居然将碗里的汤全都倒出来，解开裤子，就往碗里撒尿。

桌上的女客都叫了起来——其中当然也有的在偷偷地笑。

庞大爷脸色也发青，厉声道：“这小子是干什么的？”

谁也不知道这小子是干什么的。

萧少英却笑嘻嘻道：“我是干你娘的。”

这句话刚说完，已有七八个醋钵般大的拳头飞了过来，飞到他脸上。

他整个人都已喝得发软，招架了两下，就被打倒，躺在地上动都动不了。

外路来的镖头身上还带着家伙，已有人从靴里掏出把匕首。

“先废了他这张脸，再阉了他，看他下次还敢不敢到处撒尿。”

三分酒气，再加上七分火气，这些本就是终年在刀头舐血的朋友，还有什么事做不出的？

庞大爷一吩咐，这人就一刀子往萧少英的脸上扎了下去。

就在这时，屏风外忽然伸进一只手，拉住了这个人。

庞大爷怒道：“是什么人敢多管闲事？”

屏风外已有人伸进头来道：“是我。”

看见了这个人，庞大爷的火气立刻就消失了，居然赔起了笑脸。

“原来是葛二哥。”

葛二哥指了指躺在地上的萧少英道：“你知不知道这个人是谁？”

庞大爷摇摇头。

葛二哥招招手，把他叫了过来，在他耳朵边悄悄说了两句话。

庞大爷的脸立刻就变了，勉强地笑道："这位仁兄既然喜欢躺在这里，我们大家就换个地方喝酒去吧。"

他居然说走就走，而且把客人也全都拉走。

牛总镖头还不服气："这小子究竟是谁？咱们凭什么要让他？"

庞大爷也在他耳边悄悄说了两句话，牛总镖头的脸色也变了，走得比庞大爷还快。

萧少英已像是个死人般躺在地上，别人要宰他也好，要走也好，他居然完全不知道。

葛二哥看了他一眼，摇了摇头，替他拉好了屏风，也被庞大爷拉出去喝酒了。

萧少英忽然睁开了一只眼，从屏风下面看着他们的脚，才叹了口气，喃喃道："看来天香堂的威风倒真不小。"

只听葛二哥还在外面吩咐："好好照顾着屏风里的那位大爷，他若是醒了，无论要什么，都赶快给他，再派人到隔壁来通知我。"

他们终于走下了楼。

伙计们都在窃窃私议。

"这酒鬼究竟是干什么的？凭什么横行霸道？"

"据说他就是天香堂新来的分堂主。"

"这就难怪了。"发牢骚的伙计叹了口气，"做了天香堂的分堂主，别说要往碗里撒尿，就要往别人嘴里撒，别人也只有张开嘴接着。"

萧少英仿佛在冷笑，推开窗户，跃入了后面的窄巷。

若有人在他后面盯他梢的时候，他醉得总是很快的。

可是现在他却又清醒了，清醒得也很快。

02

静夜。

山冈上闪动着一点点碧绿的鬼火，虽然阴森诡异，却又有种神秘的美丽。

星光更美，夏日的秋风正吹过山冈。

只可惜王锐全都享受不到。

他躺在棺材里，啃着块石头般淡而无味的冷牛肉，不到必要时，他绝不出来。

他一向是个谨慎的人。

伤口已结了疤，力气也渐渐恢复，但复仇却还是完全没有希望。

天香堂的势力，想必已一天比一天庞大。

双环门本来就像是棵大树，天香门却只不过是长在树下的一棵幼苗，被大树夺去了所有的水分和阳光，所以总是显得营养不足，发育不良。

现在大树已倒下，世上已没有什么事能阻挡它的发育成长。

王锐轻轻叹息着，吞下最后一口冷牛肉，轻抚着怀里的铁环，环上的刻痕。

多情环。

它的名字虽然叫多情，其实却是无情的。

它还是那么冷，那么硬，人世间的兴衰，它既不怜悯，也没有感怀。

可是王锐轻抚着这双令他叱咤一时，又令他九死一生的铁环，眼泪却已不禁流下。

“砰，砰，砰。”

王锐握紧铁环：“什么人？”

“我是隔壁张小弟，来借小刀削竹子，削的竹子做蒸笼，做好蒸笼蒸馒头，送来给你当点心。”

萧少英！

一定是萧少英，一定又醉了。

王锐咬着牙，到了这种时候，这小子居然还有心情来开玩笑。

来的果然是萧少英。

他穿着一身崭新的薄绸衫，上面却又沾满了泥污酒迹，脸上还有条血迹刚干的刀口，脑袋上也被打肿了一块。

但他却还是一副嘻皮笑脸的样子，嘴里的酒气简直可以把人都熏死。

王锐皱着眉，每次他看见这小子，都忍不住要皱眉。

杨麟也已站起来，沉声道：“附近没有人？”

萧少英道：“连个鬼影子都没有。”

杨麟在棺材上坐下，他的伤虽然也已结疤收口，但一条腿站着，还是很不方便。

萧少英笑嘻嘻地看着他们：“看来你们的气色都不错，好像全都快转运了。”

杨麟沉着脸，道：“你已找到了王桐？”

萧少英道：“不是我找到了他，是他找到了我。”

杨麟目光闪动，道：“你已对付了他？”

萧少英道：“我本来已请他进了棺材，却又请他出来了。”

杨麟追问道：“为什么？”

萧少英道：“因为我要钓的是大鱼，他还不够大。”

杨麟冷笑，说道：“要钓大鱼的人，往往反而会被鱼吞下去。”

萧少英悠然道："我不怕，我的血已全变了酒，鱼不喝酒的。"

他忽然又笑了笑："可是葛停香却喝酒，而且酒量还很不错。"

王锐动容道："你已见到了他？"

萧少英道："不但见过，而且还跟他喝了几杯。"

杨麟也不禁动容，道："他没有对付你？"

萧少英道："我现在还活着。"

杨麟立刻追问："他为什么没有对你下手？"

萧少英道："因为他要钓的也是大鱼，我也不够大。"

王锐冷笑道："我知道，我们两人一日不死，他就一日不能安枕。"

萧少英道："所以他想用我来钓你们，我正好也想用你们去钓他，只不过到现在为止，还不知道是谁会上谁的钩而已。"

王锐道："你已有了对付他的法子？"

萧少英道："只有一个法子。"

王锐道："什么法子？"

萧少英道："还是那个老法子。"

王锐道："哪个老法子？"

萧少英道："荆轲用的老法子。"

王锐变色道："你还是想来借我们的人头？"

萧少英道："嗯。"

杨麟也已变色，冷冷道："我们怎知你不是想用我们的人头去做进身阶，去投靠葛停香？"

萧少英道："我看来像是个卖友求荣的人？"

杨麟道："很像。"

他冷笑着，又道："何况，你若没有跟葛停香串通，他怎么肯放你走。"

萧少英叹了口气，道："这么样看来，你是不肯借的了？"

杨麟道："我的人头只有一颗，我不想送给那卖友求荣的小人。"

萧少英苦笑道："既然借不到，就只有偷，偷不着就只有抢了。"

杨麟厉声道："你为什么还不过来抢？"

喝声中，他已先出手。

他虽然已只剩下一条腿，但这一扑之势，还是像豹子般剽悍凶猛。

他本来就是陇西最有名的独行盗，若不是心狠手辣，悍不畏死的人，又怎么能在黄土高原上横行十年。

只听"叮"的一声，王锐的铁环也已出手。

无论谁都只有一个脑袋，谁也不愿意糊里糊涂被人"借"走。

他们两个同时出手，左右夹击，一个剽悍狠辣，一个招沉力猛，能避开他们这一击的人，西北只怕已没有几个。

萧少英却避过了。

他似醉非醉，半醉半醒，明明已倒了下去，却偏偏又在两丈外好生生地站着。

他们同门虽然已有很多年，但彼此间谁也不知道对方武功的深浅。

尤其是王锐，他自负出身少林，名门正宗，除了大师兄盛重的天生神力外，他实在并没有将别的同门兄弟看在眼里。

直到今天，他才知道自己一直都将别人估计得太低了。

杨麟虽然已只剩下一条腿，还得用一只手扶着拐杖，可是每一招出手，都极扎实，极有效，交手对敌的经验，显然远在王锐之上。

萧少英身法的轻灵飘忽，变化奇诡，更是王锐想不到的。

眨眼间已交手十余招。

王锐咬了咬牙，忽然抛下铁环，以独臂施展出少林伏虎罗汉拳。

他从小入少林，在这趟拳法上，至少已有十五年寒暑不断的苦功夫，实在比他用多情环更趁手，此刻招式一发动，果然有降龙伏虎的威风。

杨麟也不甘示弱，以木杖作铁拐，夹杂着左手的大鹰爪功使出来。

双环门下，本就以他的武功所学最杂。

萧少英却连一招也没有还手，突然凌空翻身，退出三四丈，落在后面的土坡上，拍手笑道："好！好功夫。"

杨麟冷笑，正想乘势追击。

王锐却挡住了他："等一等。"

杨麟道："还等什么？等他来拿我们的脑袋？"

王锐道："他一直都在闪避，没有还击。"

杨麟冷笑道："他能有还击之力？"

王锐道："他也没有找天香堂的人来作帮手，所以……"

杨麟道："所以你就想把脑袋借给他？"

王锐道："看来他并不是真想来借我们脑袋的。"

萧少英微笑，道："我本来就没有这意思。"

杨麟道："你是什么意思？"

萧少英道："我只不过想试试你们，是不是还能杀人。"

杨麟道："现在你已试出来？"

萧少英点点头。

王锐道："你是来找我们去杀人的？"

萧少英又点点头。

王锐道："杀谁？"

萧少英道："葛停香！"

王锐悚然动容，立刻追问："我们能杀得了他？"

萧少英道："至少有五成机会。"

王锐道："只有五成？"

萧少英道："现在我们若不出手，以后恐怕连一成机会都没有。"

王锐懂得他的意思。

天香堂的势力，既然一天比一天大，他们的机会当然就一天比一天少。

杨麟也忍不住问："你已有动手的计划？"

萧少英神情已变得很严肃，道："每天晚上，子时前后，他都会在他的密室中喝酒，陪着他的爱妾郭玉娘。"

杨麟道："门外有多少人守卫？"

萧少英说道："也只有一个。"

杨麟道："是王桐？"

萧少英摇摇头，道："是个叫葛新的家丁。"

杨麟道："他是个什么样的人？"

萧少英道："是个奴才。"

王锐长长吐出口气，道："看来这倒真是我们动手的好机会。"

萧少英道："这也是唯一的机会。"

杨麟道："你知道那密室的门户所在？"

萧少英道："我不但知道，而且还能混进去。"

杨麟道："你有把握？"

萧少英道："有。"

杨麟道："我们怎么进去？"

萧少英道："后天晚上的子时之前，我先到那密室中去等着，看见窗子里的灯光一暗，你们立刻就冲进去动手。"

杨麟道："我们怎么知道是哪扇窗户？"

萧少英道："我可以把那里的地形门户都画出来给你们看。"

王锐道："灯光一暗，我们就出手？"

萧少英道："以我们三人之合击，也许还不止五成机会。"

王锐道："可是灯光既然已暗了，我们怎能分辨谁是葛停香？"

萧少英道："那天我可以穿一身白衣服去。"

王锐道："屋子里还有个郭玉娘。"

萧少英道："郭玉娘是个很香的女人，耳上还戴着珠环，就算瞎子也能分辨得出。"

王锐道："除了你与郭玉娘之外，还有一个人，就是葛停香？"

萧少英道："那密室中绝没有别人会进去。"

杨麟道："王桐呢？"

萧少英道："他就算在，到时我也有法子把他支开。"

杨麟道："他们相信你？"

萧少英淡淡道："我岂非本来就像是个卖友求荣的人？"

杨麟盯着他，道："你不是？"

萧少英道："你看呢？"

杨麟忽然改变话题："没有人知道你到这里来找我们？"

萧少英道："绝没有。"

杨麟道："你从天香堂出来的时候，后面有没有人跟踪？"

萧少英道："本来是有的，却已被我甩脱了。"

他抚摸着脸上的刀疤，又道："我虽然因此挨了一刀，那位葛二哥回去后，只怕也不会再有好日子过。"

杨麟道："葛二哥？"

萧少英道："天香堂用的家丁都姓葛。"

杨麟道："天香堂的秘密，你已知道多少？"

萧少英道："知道的已够多。"

他画出来的地图，果然很详细："这个角门，就是你们唯一的入路。"

"你们绝不能越墙而入，一定要想法子撬开这扇窗门。"

杨麟道："为什么？"

萧少英道："因为上面很可能有人守望，撬门进去，别人反而想不到。"

杨麟道："然后呢？"

萧少英道："然后你们就沿着这条碎石路，走到这里，在这棵树上等着。"

碎石路和那棵大树都已标明："在这棵树上，就可以看到那扇窗户。"

杨麟道："窗里的灯一灭，我们就动手？"

萧少英点点头，道："那屋子里只有两盏灯，我可以同时打灭。"

杨麟道："为什么一定要把灯打灭？"

萧少英道："葛停香已是个老人，老人的眼力总难免会差些，在黑暗中，他的武功一定就难免要打个很大的折扣。"

他慢慢地接着道："可是你们这些日子来，一直都是昼伏夜出的，对黑暗想必已比别人习惯，而且你们本来就一直躲在外面的黑暗里，所以灯光虽然灭了，你们还是可以分辨出屋里的人影，屋里的人一直在灯光下，灯光骤然熄灭，就未必能看得见你们。"

杨麟盯着他，道："你考虑得倒很周到。"

萧少英笑了笑，道："我不能不考虑得周到些，我也只有一个脑袋。"

杨麟忽然长长叹息，道："我们好像一直都看错了你。"

萧少英微笑道："葛停香好像也看错了我。"

杨麟道："我只希望你没有看错他，也没有看错郭玉娘和葛新。"

03

葛新垂着手，低着头，动也不动地站在门外，看来比前两天疲倦。

门是关着的，长廊里同样阴暗。

现在还未到子时，萧少英却已来了，他一路走进来，既没有人阻拦，也没有听见人声。

这天香堂简直就像是个空房子。

他又微笑着拍了拍葛新的肩，道："我又来了。"

葛新道："是。"

萧少英道："你知道我会来？"

葛新道："是。"

萧少英道："你好像很少睡觉。"

葛新道："是。"

萧少英道："除了'是'字外，你已不会说别的？"

葛新道："是。"

萧少英道："前两天我来的时候，你说的话好像还多些。"

葛新道："是。"

萧少英道："这次你为什么变了？"

"因为你也变了。"门忽然开了一线，里面传出了郭玉娘的声音。

"上次来的时候，你只不过是个穷光蛋，现在你却已是个天香堂的分堂主。"

"做了天香堂的分堂主，别人就连话都不跟我多说？"

“别人多少总要小心些。”

萧少英叹了口气，喃喃道：“看来做这分堂主，也没有什么太大的好处。”

“至少有一样好处。”郭玉娘拉开门，微笑说，“至少你可以随便在别人汤碗里撒尿。”

葛停香果然已开始在喝酒。

他喝得很慢，很少，手里却好像总是有酒杯。

王桐不在屋子里，也没有别的人，每天晚上，都是完全属于他自己的时候。

萧少英已站在他面前，一身白衣如雪。

葛停香看着他，目中带着笑意：“这身衣裳你是第一天穿？”

萧少英点点头，道：“这套衣服我只准备穿一天。”

葛停香道：“为什么？”

萧少英道：“不为什么。”

葛停香道：“今天你还没有醉？”

萧少英道：“没有。”

葛停香道：“你有没有真的醉过？”

萧少英道：“很少。”

他笑了笑，又道：“至少在有人跟我梢的时候，我绝不会真醉。”

葛停香叹了一口气，才说道：“葛二虎本来也是个很能干的人，可是要跟你一比，他简直就像是个猪。”

他拿起酒杯，没有喝，又放下。

萧少英忽然道：“你手里好像总是有杯酒？”

葛停香道：“这并不算奇怪。”

萧少英微笑道：“有时酒杯的确也是种很好的武器。”

葛停香道："武器？什么武器？"

萧少英道："令人疏忽的武器。"

葛停香道："哦！"

萧少英道："大多数人看到别人手里拿着杯酒时，都会变得比较疏忽。"

葛停香道："哦！"

萧少英道："因为大家都认为，手里总是拿着杯酒的人，一定比较容易对付。"

葛停香大笑："你的确是个聪明人。"

萧少英道："我的确不笨。"

葛停香的笑声忽又停顿，冷冷道："只可惜你的记性并不好。"

萧少英道："哦？"

葛停香道："你好像忘了一件事。"

萧少英道："我没有忘。"

葛停香道："但你却是空着手来的。"

萧少英道："我答应你的是什么时候？"

葛停香道："今夜子时。"

萧少英道："现在到了子时没有？"

葛停香道："还没有。"

萧少英笑道："所以我们现在还可以喝两杯。"

葛停香居然不再追问，淡淡道："聪明人反而时常会做糊涂事，我只希望你是例外。"

萧少英道："我还没有喝醉。"

葛停香道："什么时候你才会醉？"

萧少英道："想醉的时候。"

葛停香道："什么时候你才想醉？"

萧少英道："快了。"

葛停香凝视着他，忽然又大笑，道："好，拿大杯来，看他到底能喝多少杯？"

只喝了三杯。

萧少英当然还没有醉，时候却已快到了。

外面有更鼓声传来，正是子时。

葛停香眼睛里闪着光："现在是不是已快了？"

萧少英道："快了。"

他突然翻身，出手。

屋子里两盏灯立刻同时熄灭，屋子里立刻变得一片黑暗。

就在这时，窗外"砰"的一响，仿佛有两条人影穿窗而入，但却没有人能看得清。

窗外虽然有星光，但灯光骤然熄灭时，绝对没有人能立刻适应。

黑暗中，只听一声惊呼，一声怒吼，有人倒下，撞翻了桌椅。

接着，火石一响，火星闪动。

灯又亮起。

郭玉娘还是文文静静地站在那里，脸上还是带着甜甜的微笑。

葛停香也还是端坐未动，手里还是拿着杯酒。

萧少英看来也仿佛没有动过，但雪白的衣服上，却已染上了一点点鲜血，就像是散落在白雪上的一瓣瓣梅花。

屋子里已有两人倒下，却不是葛停香。

倒下去的是杨麟和王锐。

04

没有风，没有声音。

子时已过，夜更深了，屋子里静得就像是坟墓。

忽然间，“叮”的一声响，葛停香手里的酒杯一片片落在桌上。

酒杯早已碎了，碎成了十七八片。

王锐伏在地上，发出了轻微的呻吟，杨麟却似连呼吸都已停止。

萧少英低着头，看着衣服上的血迹，忽然笑了笑，道：“你现在是不是已明白？这身衣服我为什么只准备穿一天。”

葛停香点点头，目中带着笑意：“从今以后，无论多贵的衣服，你都可以只穿一天。”

萧少英道：“这句话我一定会记得。”

葛停香道：“我知道你的记性很好。”

萧少英道：“我也没有做糊涂事。”

葛停香微笑道：“你的确没有醉。”

萧少英忽然叹了口气，道：“但现在我却已准备醉了。”

葛停香道：“只要你想醉，你随时都可以醉。”

萧少英道：“我……”

他刚说出一个字，死人般躺在地上的杨麟，突然跃起，扑了过去。

这一扑之势，还是像豹子般剽悍凶猛。

他自己也知道，这已是他最后一击。

而最后一击通常也是最可怕的。

可是萧少英反手一切，就切在他的左颈上，他的人立刻又倒下。

他的人倒下后，才嘶声怒吼。

“你果然是个卖友求荣的小人，我果然没有看错。”

“你看错了。”萧少英淡淡道，“我从来也没有出卖过朋友。”

杨麟更愤怒道：“你还敢狡辩？”

萧少英道：“我为什么要狡辩？”

杨麟道：“你……你难道没有出卖我？”

萧少英笑了笑，道：“我当然出卖了你，只因为你从来也不是我的朋友。”

他沉下了脸，冷冷道：“双环门里，没有一个人是我的朋友。”

他被逐出双环门，的确没有一个人为他说过一句话。

王锐伏在地上，将自己的脸，用力在冰冷坚硬的石头上摩擦，忽然道：“这不能怪他。”

杨麟嘶声道：“不能怪他？”

王锐道：“这只能怪我们自己，我们本不该信任他的，他本来就是个卑鄙无耻的畜生。”

他抬起脸，脸上已血肉模糊：“我们相信他，岂非也变成了畜生？”

杨麟突然大笑，疯狂般大笑：“不错，我是个畜生，该死的畜生。”

他也开始用头去撞石板，在石板上摩擦，他的脸也已变得血肉模糊。

萧少英看着他们，脸上居然毫无表情，忽然转向葛停香：“我已将他们送给了你。”

“不错！”

“他们现在已是你的人。”

“不错。”

萧少英淡淡道："但他们现在却辱骂你的分堂主，你难道就这样听着？难道还觉得很好听？"

葛停香道："不好听。"

他忽然高声呼唤："葛新！"

"在。"

"带这两人下去，想法子把他们养得肥肥的，愈肥愈好。"

萧少英刚才进来的时候，连半条人影都没有看见，可是这句话刚说完，门外已出现四个人。

等他们将人抬出去，葛停香才笑了笑，道："你知不知道我为什么要把他们养肥？"

萧少英也在微笑。

葛停香道："你懂？你说吧。"

萧少英道："只有日子过得很舒服的人，才会长肥。"

葛停香道："不错。"

萧少英道："一个人日子若是过得很舒服，就不想死了。"

葛停香道："不错！"

萧少英道："不想死的人，就会说实话。"

他微笑着又道："你只有等到他们肯说实话的时候，才能查出来，双环门是不是已被完全消灭。"

葛停香又大笑："好，说得好，再拿大杯来，今夜我也陪他醉一醉。"

郭玉娘嫣然道："现在你们的确都可以醉一醉了。"

第六章

密室密谈

01

灯光在摇曳，是不是有了风？

风是从哪里来的？

郭玉娘的腰肢为什么在扭动？

——屋子为什么也在动？

“你醉了。”

萧少英想摇头，可是又生怕一摇头，头就会掉下来。

“这次你只怕是真的醉了？”

是不是真的？

是真醉也好，假醉也好，反正都是醉。

真真假假，假假真真，人生本就是一出戏，又何必太认真？

“你应该去睡一睡。”

好，睡就睡吧。

睡睡醒醒，又有什么分别，人生岂非也是一场梦？

“后面有客房，你不如就睡在这里。”说话的声音很甜，是郭玉娘。

“你带我去？”

“好，我带你去。”

郭玉娘在开门，葛停香为什么没有阻拦？

他是不是也醉了？

葛新站在门外，动也不动地站着。

萧少英忽然走过去，捏了捏他的脸：“这个人是不是个木头人？”

当然不是的。

萧少英吃吃地笑，不停地笑。

他本来就喜欢笑，现在好像也已到了可以尽情笑一笑的时候。

风吹过长廊。

原来风是从花丛里来的，是从树影间来的，是从那一点点星光中来的。

人呢？

人是从哪里来的？又要往哪里去？

客屋是新盖的，新粉刷好的墙壁，新糊上的窗纸，新的檀木桌子，新的大理石桌面上，摆着新的铜灯台，新的绣花被铺在新床上。

一切都是新的。

萧少英是不是已将开始过一种和以前完全不同的新生活？

他倒了下去，倒在那张宽大而柔软的新床上：“这是张好床。”

“这张床还没有别人睡过。”郭玉娘的声音也是柔软的，比床上的绣花被还柔软。

“可是一个人睡在这么好的床上，简直比一个人喝酒还没意思。”

“我可以找个人来陪你。”她知道他的眼睛一直盯在她的腰上，但却并没有生气。

她还在笑："无论你喜欢什么样的女人，我都可以替你去找。"

"我喜欢的就是你。"

萧少英忽然跳起来，搂住了她的腰，然后两个人就一起滚倒在床上。

郭玉娘轻呼着，挣扎着。

可惜她的手也是软的，连一点力气都没有。

她整个人都是软的，又香又甜又软，就像是一堆棉花糖。

她的胸膛却比棉花还白，白得发光。

萧少英压在她身上，她动都动不了，只有不停地呻吟喘息。

她可以感觉到她的腿已被分开。

"求求你，不要这样子，这样子不行……"

她既不能抵抗，也无法挣扎，只有哀求，却不知哀求反而更容易令男人变得疯狂。

萧少英已经在撕她的衣服，她咬着嘴唇，突然大叫。

就在这时，一只手伸过来，一把揪住了萧少英的衣领，将他整个人都拎了起来。

另一只手已掴在他脸上，掴得并不重，只不过是要他清醒。

萧少英果然清醒了些，已能看见葛停香铁青的脸。

葛停香居然还没有醉，正在狠狠地瞪着他，厉声地道："你好大的胆子！"

萧少英居然还在笑："我的胆子本来就不小。"

葛停香道："连我说的话你都敢忘记？"

萧少英道："我没有忘。"

葛停香怒道："你没有？"

萧少英道："你说过，不准我多看她，也不准我胡思乱想，我都记得。"

葛停香更愤怒，道：“既然记得，为什么还敢做这种事？”

萧少英笑嘻嘻地道：“因为你并没有不准我动她，你从来也没有说过。”

葛停香看着他，目中居然又露出笑意，忽然放开手，板着脸道：“你最好老老实实地睡一觉，等你酒醒了，再来见我。”

萧少英又倒下去，用被蒙住了头，嘴里却还在咕哝：“这么大的床，叫我一个人怎么睡得着。”

他毕竟还是睡着了，而且很快就睡着。

等他醒来时，才发现自己并不是一个人睡在床上，旁边居然还睡着个女人。

就像是朵鲜花般的女人，雪白的皮肤，甜蜜的嘴唇，眼睛更媚得令人着迷。

郭玉娘?

萧少英几乎忍不住要跳了起来，揉了揉眼睛，再睁开，才发现这女人并不是郭玉娘，只不过长得跟郭玉娘有六七分相似。

“你是谁？”

“我叫小霞。”这女孩也睁大了眼睛，在看着他，“郭小霞。”

萧少英笑了：“难道这地方的女人也全都姓郭？”

“只有两个人姓郭。”

“哪两个人？”

“我跟我姐姐。”

萧少英终于明白：“郭玉娘是你姐姐？”

小霞眨着眼，道：“你是不是也认为我跟她长得很像？”

萧少英道：“像极了。”

小霞撇了撇嘴，道：“其实我跟她完全是两个人。”

萧少英道："哦。"

小霞道："我姐姐是个害人精。"

萧少英又笑了。

小霞道："也许她并不是真的想勾引别人，可是她天生就是个害人精，只要一看见男人，就会变得那样子，让别人以为她对人家有意思。"

萧少英道："然后呢？"

小霞冷笑一声，道："男人本来就是喜欢自作多情的，看见她这个样子，当然就忍不住想去勾搭勾搭她。"

萧少英道："以前也有人试过？"

小霞道："非但有，而且还不止一个。"

萧少英道："现在……"

小霞冷笑道："现在那些人已全都进了棺材。"

萧少英叹了口气，苦笑道："原来老爷子的醋劲还不小。"

小霞道："所以我才奇怪。"

萧少英道："奇怪什么？"

小霞盯着他，道："你昨天晚上不是也试过？"

萧少英道："我也是个男人。"

小霞道："但你现在居然还活着。"

她冷冷地接着道："只要敢打她主意的男人，老爷子从来也没有放过一个，我实在想不通他这次怎么会放过了你？"

萧少英笑道："所以你就想来研究研究我，究竟有什么跟别人不同的地方。"

小霞又撇了撇嘴，冷笑道："你以为是我自己要来的？"

萧少英道："你不是？"

小霞道："当然不是。"

萧少英道："难道是老爷子叫你来的？"

小霞也叹了口气，道："所以我更想不通，老爷子本来一向对我很好，从来也不许别的男人碰我，这次为什么偏偏一定要我来陪你？"

萧少英眼珠子转了转，正色道："这当然有原因。"

小霞忍不住问："什么原因？"

萧少英翻了个身，一只手搂住了她的腰肢，对着她的耳朵，轻轻道："因为他知道你一定会喜欢我的。"

02

花圃里盛开着凤仙、月季和牡丹，墙下的石榴花也开了。

长廊下有八个人垂手肃立，每个人看来都比葛新精壮剽悍。

这地方白天的防卫，为什么比晚上严密？

葛新想必已去睡了，无论谁总要有睡觉的时候。

萧少英大步走过长廊，葛停香正在密室中等着见他。

葛老爷子一向很少在密室中接见他的属下，他将萧少英找来，莫非又有什么机密的事？

"萧堂主驾到。"

萧少英刚走到门口，已有人在大声叱喝，天香堂属下分堂主的威风果然不小。

门立刻开了。

开门的竟是葛停香自己，郭玉娘并不在屋里。

萧少英松了口气，他实在也有点不好意思再见郭玉娘。

葛停香背负着双手，神情看来很悠闲，窗户是开着的，一阵阵花香被风吹进来，太阳正照在屋角。

“今天的天气真不错。”葛停香嘴角带着微笑，悠然道，“你的脸色看来却不太好。”

萧少英苦笑道：“我的头还在痛，昨天晚上，我好像真有点醉了。”

葛停香道：“连小霞进去的时候你都不知道？”

萧少英苦笑着摇头。

葛停香道：“难道你竟虚度了春宵？”

萧少英苦笑着点头。

葛停香道：“所以你今天早上一定要想法子补偿补偿。”

萧少英道：“所以我的脸色看来才会不太好。”

葛停香大笑，仿佛已完全忘记了昨夜的事。

他拍着萧少英的肩笑道：“所以你从今以后最好还是老实些，那丫头好像很不容易对付。”

萧少英道：“她的话也很多。”

葛停香道：“她说了些什么？”

萧少英道：“她在奇怪，你为什么会放过我？”

葛停香道：“你也在奇怪？”

萧少英苦笑道：“昨天晚上的事，我并没有完全忘记。”

葛停香道：“那件事你虽然做错了，但有时一个人做错事反而有好处。”

萧少英不懂：“做错事也有好处？”

葛停香道：“一个人若有很深的心机，很大的阴谋，就绝不会做错事。”

萧少英好像还不懂：“可是我……”

葛停香道：“你若是来伺机复仇的，昨天晚上就不会喝得大醉，更不会做出那种事来。”

萧少英终于懂了："所以我虽然做错了事，反而因此证明了我并没有阴谋。"

葛停香微笑道："所以今天我才会找你来。"

萧少英忍不住问道："来干什么？"

葛停香忽然转过身，闩起了门，关上了窗户，回过头时，神情已变得很严肃："我本来就一直想找个像你这样的帮手。"

萧少英道："现在你还需要帮手？"

葛停香道："因为我还有对头。"

萧少英道："双环门已垮了，西北一带，还有谁敢跟你作对？"

葛停香道："只有一个。"

萧少英道："是个什么人？"

葛停香道："不是一个人，是一条龙。"

萧少英轻轻吐出口气："一条青龙？"

葛停香点点头。

萧少英悚然动容："青龙会？"

葛停香叹了口气，道："除了青龙会外，还有谁敢跟我们作对？"

萧少英闭上了嘴，青龙会是个多么可怕的组织，他当然也听说过的。

葛停香道："据说青龙会属下的秘密分舵，已多达三百六十五处，几乎已遍布天下。"

萧少英道："陇西一带也有他们的分舵？"

葛停香道："几年前就已有了，只可惜这地方一直是双环门的天下，所以他们的势力一直没有法子扩展。"

萧少英道："现在双环门虽然垮了，天香堂却已代之而起。"

葛停香道："所以他们还是没有机会！"

萧少英道："他们若是还有点自知之明，就应该从此退出陇西。"

葛停香冷笑道："只可惜他们连一点自知之明都没有。"

萧少英也在冷笑，道："难道他们还敢在这里跟天香堂一争短长？"

葛停香道："他们甚至想要我也归附他们，将天香堂也划作他们的分舵。"

萧少英冷笑道："这简直是在做梦！"

葛停香道："只可惜这并不是梦。"

他神情更严肃："他们已给了我最后的警告，要我在九月初九之前，给他们答复。"

萧少英道："你若不肯呢？"

葛停香道："我若不肯，我就活不过九月初九的晚上。"

萧少英道："这是他们说的话？"

葛停香道："不错。"

萧少英道："这简直是在放屁。"

葛停香道："只可惜这也不是放屁。"

青龙会说出来的话，一向是只要能说得出，就能做得到的。

萧少英道："你已见过他们的人？"

葛停香摇摇头："我只接到过他们三封信。"

萧少英道："连送信的人你都没有见到？"

葛停香道："没有。"

萧少英道："信上具名的是谁？"

葛停香道："九月初九。"

萧少英道："这是什么意思？"

葛停香道："一年有三百六十五天，他们的分舵正好有三百六十五处，所以他们一向都是用日子来做分舵的代号。"

萧少英道："九月初九就是他们陇西分舵的代号？"

葛停香道："想必是的。"

萧少英道："这分舵的舵主是谁？"

葛停香道："没有人知道。"

萧少英道："也没有人知道这分舵在哪里？"

葛停香道："没有。"

他叹了口气，道："这也正是他们最可怕的地方，他们若敢光明正大地来跟我斗一斗，我并不怕，但这又使我不得不提防着他们的暗箭。"

他紧握着双拳，显得很愤怒、很激动，似已忘了他对付双环门时，用的也并不是什么光明正大的手段。

萧少英居然也立刻表示同意："明枪易躲，暗箭难防，这句话我一直都认为说得很不错。"

葛停香道："还有句话，你最好也记住。"

萧少英道："哪句话？"

葛停香道："先下手为强，后下手遭殃。"

他冷笑着，又道："他们既然已准备在九月初九那天对付我，我就得在九月初九之前，先去对付他们。"

萧少英道："所以你一定还要先把他们的分舵找出来。"

葛停香点点头，道："这也正是我准备让你去做的事。"

说到这里，他才总算说到了正题："这件事当然很不容易办，我想来想去，也许只有你才能做得到。"

萧少英沉思着，并没有问他："为什么？"

葛停香却已在解释："因为你虽然已是这里的分堂主，外面却没有人知道，你虽然是个绝顶聪明的人，却很会装傻。"

萧少英忽然问道："你说你接到过他们三封信？"

葛停香点点头，道："信上说的话，我已全告诉了你。"

萧少英道："我还是想看看。"

葛停香道："为什么？"

萧少英道："因为这三封信，就是我们唯一的线索。"

葛停香叹道："只可惜我已看了几十遍，却是一点线索也没有看出来。"

03

同样的信笺，同样的笔迹。

信笺用的是最普通的一种，字写得很工整，但却很拙劣。

信上说的话，也正是葛停香全都已告诉他的。

葛停香直等萧少英在窗下反反复复看了很多遍，才问道："你看出了什么？"

萧少英沉吟着，道："这三封信全都是一个人写的。"

这一点无论谁都可以看得出，看出了也没有用。

葛停香道："你能看得出这是谁写的？"

萧少英摇摇头，道："但我却看出了另外两件事。"

葛停香立刻问："哪两件？"

萧少英道："第一，这三封信并不是在同一个地方写的。"

葛停香道："哦。"

萧少英道："因为这三封信的信笺笔迹虽相同，用的笔墨却不一样。"

葛停香道："这一点也算是条线索？"

萧少英道："非但是条线索，而且很重要。"

葛停香道："我倒看不出有什么重要。"

萧少英道："这三封信是不是很机密？"

葛停香点点头。

萧少英道："你若要写这么样三封信给你的对头，你会在什么地方写？"

葛停香道："就在这里。"

萧少英道："因为这里不但是你的密室，也是你的书房。"

葛停香道："不错。"

萧少英道："青龙会的分舵主写这三封信给你，是不是也应该在他的书房中写？"

葛停香道："不错。"

萧少英道："一个人的书房里，会不会有两种品质相差极大的笔墨？"

葛停香道："不会。"

萧少英道："可是他写这三封信用的笔墨，品质相差却极大。"

葛停香道："哦。"

萧少英道："他写第一封信用的，是极上品的宋墨和狼毫笔，写第三封信用的，却是那种最多只值两文钱的秃笔和墨盒。"

葛停香沉吟着，道："由此可见，这三封信绝不是在他书房里写的。"

萧少英道："这么机密重要的信，他为什么不在自己的书房密室中写？"

葛停香道："你说是为了什么？"

萧少英道："也许这只有一种理由。"

葛停香道："哪一种？"

萧少英道："他根本没有书房。"

葛停香道："以青龙会的声势，他们的分舵里，怎么会没有书房？”

萧少英道：“这也只有一种解释。”

葛停香道：“哪一种？”

萧少英道：“他们在这里根本没有分舵。”

葛停香怔住。

萧少英道：“他们就算在这里有分舵，也绝不是一个固定的地方，而是流动的，这分舵里的人，随时都在改变他们的聚会之处，也随时都在改变他们藏身之处。”

葛停香的眼睛里发出了亮光，说道：“因为这里一直是双环门的天下，他们根本没法子在这里生根。”

萧少英点点头，道：“这也正是他们最可怕的地方。”

葛停香道：“哦？”

萧少英道：“就因为他们的人随时都在流动，所以无论何处，都很可能有他们的人隐藏。”

葛停香动容道：“连天香堂里也有可能？”

萧少英既没有承认，也没有否认，却改变话题，道：“我还看出了另外一件事。”

葛停香道：“你说。”

萧少英道：“这三封信的字迹虽然工整，字却写得很坏，而且每个字都微微向左倾斜，显然是一个惯用右手写字的人，改用左手写出来的。”

葛停香道：“这一点又证明了什么？”

萧少英道：“惯用右手的人，改用左手书写，通常也只有一种目的。”

葛停香道：“哪一种？”

萧少英道：“他不愿自己的笔迹，被别人辨认出来。”

葛停香动容道：“难道这个人的笔迹，我本该认得出的？”

萧少英沉默。

沉默也有很多种，他这种沉默的意思，显然是承认。

葛停香道：“难道他这个人也是我认得的，难道他就躲在天香堂里？”

萧少英依然沉默。

这些话他已不必回答，葛停香自己心里想必也已明白。

窗外还是阳光灿烂，他铁青的脸上却已布满了阴霾，慢慢地坐下来，凝视着桌上的笔砚，忽然道：“我用的也是狼毫和宋墨。”

萧少英点点头。

他显然早已看出来。

葛停香道：“第一封信，我是在上个月中旬收到的。”

萧少英道：“哦。”

葛停香道：“那时大局未定，这地方还很乱，我也不像现在一样，并不时常在书房里。”

萧少英道：“那时外面是不是也有人守卫？”

葛停香道：“有。”

萧少英道：“既然有人守卫，能进来的人还是不会太多。”

葛停香道：“不多。”

他的脸色更阴沉，突然冷笑，道：“多不多都一样，只要有一个人能进来已足够。”

萧少英道：“第三封信你是在哪天收到的？”

葛停香道：“前两天。”

萧少英道：“那时这地方已安定下来，他也不敢再冒险在这里写信了。”

葛停香道：“嗯。”

萧少英道：“那种两文钱一副的笔墨，不但到处都有，而且用时也很方便。”

葛停香道：“所以他随时随地都有机会写那封信。”

萧少英笑了笑，道：“就算蹲在茅坑里，都一样可以写，而且写完了随手就可以把笔墨抛入茅坑里去。”

葛停香握紧了双拳，道：“所以，这三封信都是忽然出现了，我却始终查不出送信的人是怎么混进来的！”

萧少英目光闪动，道：“我昨天晚上进来时，也很方便。”

葛停香冷冷道：“那只因为进来的人是你。”

萧少英道：“若是别人呢？”

葛停香答道：“你进来的那条路上，一共安置有十一道暗卡，绝没有任何人能够无声息地通过，除非……”

萧少英道：“除非他也跟我一样，是你的属下亲信。”

葛停香冷笑。

萧少英道：“据我所知，能接近你的人并不多。”

葛停香道：“不多。”

萧少英道：“因为你的属下的四位分堂主，如今已死了三个。”

葛停香的脸色又变了。

他已听出了萧少英说的这句话里，必定还含有深意，他正在等着萧少英说下去。

谁知萧少英忽然又改变话题，道：“这地方晚上的守卫，是不是比白天疏忽？”

葛停香道：“你为何会这么样想？”

萧少英道：“因为现在外面有八个人守卫，晚上却只有葛新一个。”

葛停香淡淡道：“那只因为一个人有时远比八十个人还有用。”

萧少英道："葛新是个很有用的人？"

葛停香道："你看不出？"

萧少英苦笑，道："我实在看不出。"

"若连你都看不出，就表示他这个人以后更可以重用。"

萧少英道："看来他非但深藏不露，而且一定很少做错事。"

葛停香道："他的确从来也没有做错过一件事……"

他的声音突然停顿，脸色也变了。

——一个人若是有很深的心机，很大的阴谋，就绝不会做错事的。

这是他自己刚说过的话，他当然不会忘记。

萧少英正微笑着，看着他，悠然道："他跟着你想必已有多年，若是真的连一件事都未做错过，那的确很不容易。"

葛停香沉着脸，缓缓道："三年，他跟我也只不过才三年。"

萧少英道："三年虽不算长，却也不能算短了。"

葛停香道："他本来的名字叫章新。"

萧少英道："这名字我从来未听说过。"

葛停香道："我也没有。"

两个人互相凝视，沉默了很久，葛停香忽然道："他住的地方也在后院。"

萧少英道："哦。"

葛停香道："就在你昨夜住的那间屋子后面，门口种着棵白杨树。"

萧少英道："哦。"

葛停香道："从今天起，你不妨也在这里住下来，我可以叫小霞陪着你。"

萧少英道："可是……"

葛停香不让他说下去，又道："可是我也知道你受不惯拘束，所以你白天还是可以自由出入，只不过每天晚上一定要回来。"

萧少英道："为什么？"

葛停香道："因为我说的。"

他沉着脸，又道："我要你替我在这里留意着，只要一发现可疑的人，就立刻带来见我。"

萧少英道："你说的话就是命令，可是我说出的话……"

葛停香道："从今天起，你说的话也是命令，若有人敢抗命，先打断他的腿。"

萧少英道："我可以全权做主？"

葛停香道："你直接受命于我，除此之外，别的事你都可以全权做主。"

萧少英道："别的人也得听我的？"

葛停香道："不错。"

萧少英道："连王桐也不例外？"

葛停香一字字道："无论谁都不例外。"

萧少英笑了笑，道："其实我并没有怀疑王桐，他跟王锐虽然是亲兄弟，可是他们兄弟间并没有秘密。"

葛停香脸上全无表情，王桐、王锐的关系，他显然早已知道。

萧少英道："我怀疑的是另外一件事。"

葛停香道："什么事？"

萧少英道："那天你们夜袭双环庄，去的一共有十三个人。"

葛停香道："不错。"

萧少英道："除了你和王桐外，四位分堂主也全都去了。"

葛停香道："不错。"

萧少英道："还有七个人是谁？"

葛停香道："是我从外地请来的高手。"

萧少英道："花钱请来的吗？"

葛停香道："不错。"

萧少英道："现在他们的人呢？"

葛停香道："我找他们来，只不过是为了对付双环门的。"

萧少英道："现在双环门既然已被消灭，他们也就全都走了。"

葛停香道："每个人都带着五万两银子走了。"

萧少英微笑道："五万两银子的确已不少，只不过也不太多。"

葛停香道："还不太多？"

萧少英道："你能出得起五万两，青龙会说不定可以出十万两。"

葛停香动容道："你怀疑他们也是青龙会的人？"

萧少英道："我只不过觉得很奇怪，那一战之中，为什么他们全都没有伤损，死的为什么全都是你的属下亲信？"

葛停香又握紧双拳，那一战的情况确实很混乱，除了专心对付盛天霸外，他确实没有注意别的事。

天香堂的那四位分堂主，究竟是死在谁手下的？

——是双环门的子弟？还是他自己请来的那些帮手？

葛停香也不能确定。

萧少英淡淡道："我只不过觉得，你既然能收买他们，青龙会也同样能收买他们。"

他慢慢地接着道："那一战之后，双环门虽然垮了，天香堂的元气也已大伤，真正得利的，也许就是青龙会。"

葛停香忽然冷笑，道："我以前既然可以找到他们，现在还是一样可以找得到。"

萧少英道："找到他们又如何？他们难道还会承认自己是青龙会的人？"

葛停香道："无论他们是不是都一样！"

萧少英道："怎么会一样？"

葛停香冷冷道："到了这种时候，我已不怕杀错人。"

——宁可杀错一千个人，也不能放走一个。

这本就是江湖枭雄们做事的原则。

萧少英道："你准备叫谁去找？王桐？"

葛停香正在考虑。

萧少英道："以王桐一个人之力，能对付他们七个？"

葛停香没有回答这句话，也不必回答，他忽然高声呼唤："葛成。"

门外立刻有人应声："在！"

葛停香已发出简短的命令："叫王桐来，快！"

萧少英没有再问，也不必再问。

他知道葛停香叫王桐来只有一个目的。

杀人！

他也很了解王桐杀人的手段，从葛停香发出命令的一刻开始，那七个帮凶已等于是七个死人！

第七章

暗　杀

01

天香堂是个很大的庄院，一重重的院落也不知有多少重。

葛新住的地方是第六重院子，窄门前果然种着棵白杨树。

门是开着的，里面寂无人声，葛新仿佛已睡得很沉，他看来的确总是很疲倦。

萧少英背负着双手，慢慢地走出这重院子，一个人恭恭敬敬地跟在他身后。

“你就叫葛成？”

“是。”

“你跟葛新认得已多久？”

“快三年了。”

“你们就住在一个院子里？”

“是。”

“你觉得他是个什么样的人？”

“他好像是个怪人，平常很少跟我们说话。”

“也不跟你们喝酒？”

“他不喝酒，吃喝嫖赌这些事，他从来连沾都不沾。”

葛成不但有问必答，而且态度很恭谨，答得很详细。

因为这是老爷子的命令。

——带着萧堂主到处去看看，从今天起，你就是萧堂主的长随跟班。

萧少英对这个人觉得很满意，他喜欢听话的人。

“你喝不喝酒？”

“我别的嗜好都没有，就只喜欢喝点酒。”葛成嗫嚅着，终于还是说了实话。

萧少英更满意——酒鬼岂非总是喜欢酒鬼的？

第七重院落里繁花如锦，屋檐下的鸟笼里，一对绿鹦鹉正在“吱吱喳喳”地叫。

“谁住在这院子里？”

“是郭姑娘姐妹，还有六个小丫头。”

“老爷子常到这里来？”

“老爷子并不常来，郭姑娘却常到老爷子那里去。”

萧少英笑了，又问：“郭姑娘已来了多久？”

“好像还不到两年。”

“她妹妹呢？”

“郭姑娘来了七八个月后，才把二姑娘接来的。”

“二姑娘是不是也常到老爷子屋里去？”

葛成立刻摇了摇头，道：“二姑娘是个规矩人，平常总是足不出户，从来也没有人看见她走出过这个院子。”

萧少英又笑了。

后面的一重院子里，浓荫满院，仿佛比郭玉娘住的地方还幽静。

有风吹过，风中传来一阵阵药香。

“这院子里住的是谁？”

“这是孙堂主养病的地方。”

“孙堂主？孙宾？”

葛成点了点头，叹息着道：“以前的四位分堂主，现在也就只剩下孙堂主一位了。”

“他受的伤很重？”

葛成又点点头：“他老人家受的是内伤，虽然换了七八个大夫，每天都得喝七八剂药，可是直到今天，还是连一点起色都没有，连站都没法子站起来。”

萧少英沉吟着，道：“我久闻他是个英雄，既然来了，就得去拜访拜访他。”

葛成想阻拦，却又忍住。

对他说来，现在萧少英的话也已是命令，命令只能服从。

他们刚走进院子，树后忽然有人影一闪。

是个很苗条的人影，穿的仿佛是件鹅黄色的春衫。

萧少英居然好像没看见。

葛成却看见了，摇着头，说道：“这丫头的年纪其实也不小了，却还是像个孩子似的，总是不敢见人。”

萧少英淡淡问道：“这丫头是谁？”

葛成道：“一定是翠娥，郭姑娘使唤的丫头们，全都是大大方方的，只有她最害羞。”

萧少英道：“她也是郭姑娘的丫头？”

葛成道：“是的。”

他好像生怕萧少英误会，立刻又解释着说道：“孙堂主喝的药水，一向都是由郭姑娘的丫头们照顾的。”

萧少英道：“哦？”

葛成道：“因为她们都是由郭姑娘亲手训练出来的，做事最小心，照顾人也最周到。”

萧少英笑了笑道：“只可惜孙堂主病得不轻，否则他一定还有很多别的事可以让她们照顾。”

孙宾病得果然不轻。

屋子里潮湿而阴暗，浓荫遮住了阳光，门窗也总是关着的。

“孙堂主不能见风。”

药香很浓。

“孙堂主每天都要用七八剂药。”

现在正是盛暑。

这位昔年曾以一条亮银盘龙棍，横扫河西七霸的铁汉，如今竟像是个老太婆般躺在床上，身上居然还盖着棉被。

他非但一点也不嫌热，而且好像还觉得很冷，整个人都蜷在棉被里。

有人推门走了进来，他既没有翻身，也没有开口。

“翠娥刚走，孙堂主想必刚喝了药，已睡着了。”葛成又在解释，“每次用过药之后，他都要小睡一阵子的。”

萧少英迟疑着，终于悄悄退出去，轻轻掩上了门：“我改天再来。”

可是他并没有立刻离开，站在门口，又停留了半晌，仿佛在听。

他并没有听见什么。

屋子里很安静，连一点声音都没有。

暮风中却隐约有钟声传来。

“是谁在敲钟？”

“是后面的厨房里。”

“现在已到了晚饭的时候了？”

“我们晚饭总是吃得早，因为天不亮就得起床了。”

“你赶紧去吃饭吧。”萧少英挥手道，“天大的事，也没有吃饭重要。”

“那么你老人家……”

“我并不老。”萧少英微笑道，“我自己还走得动。”

02

夕阳满天，晚霞红如火。

院子里静无人声，萧少英背负着双手，慢慢地走到树后。

一棵三五个人都抱不拢的大榕树。

那个穿着鹅黄春衫，燕子般轻盈的人影，早已不见了。

可是萧少英却一直没有看见有人走出这院子。

他绕着这棵大树走了一圈，嘴角带着微笑，笑得很奇怪。

就在这时，短墙外突然有人影一闪，一蓬银光，暴雨般打向他的背。

他背后并没有长眼睛，幸好他还有耳朵，而且耳朵很灵。

风声乍响，他的人已蹿起。

“叮”的一响，十七八根银针钉在树干上，他的人却已掠出短墙。

墙外的院子里，繁花如锦，在夕阳下看来更灿烂辉煌。

刚才的人影却已不见了。

花丛间有三五精舍，檐下的黄铜鸟笼里，突然响起了一声轻唤：“有客，有客……”

好一对多嘴的绿鹦鹉。

萧少英只有走过去。

还没有走到门口，已有个大眼睛、长辫子的绿衫少女迎了出来，手叉着腰，瞪着他问：“你来找谁的？”

萧少英笑了笑，道：“我不是来找人的。”

小姑娘的样子更凶：“既然不找人，鬼鬼祟祟的来干什么？”

萧少英道：“只不过随便来看看。”

“你知不知道这里是什么地方？”

“因为我知道，所以我才来。”

小姑娘用一双大眼睛上上下下地看着他：“你是什么人？你姓什么？”

“我姓萧。”

小姑娘忽然不凶了，眨着眼笑道：“原来你就是萧公子，你一定是来找我们二姑娘的。”

萧少英只有承认：“二姑娘在不在？”

小姑娘吃吃地笑道：“她当然不在，连饭都没吃，她就到萧公子屋里去了。”

萧少英正想走，这小姑娘忽然又道：“我叫翠娥，萧公子若有什么事吩咐，只管叫人来找我，我不但会炒菜，还会温酒。”

她叫翠娥。

她穿的是一身翠绿衣服。

她并不害羞。

那个不好意思见人的黄衫少女又是谁呢？

葛成是在说谎，还是根本没看清楚？

03

“二姑娘临走的时候，还特地叫我们小厨房做了几样菜送过去，现在，她一定在等着萧公子回去喝酒。”

萧少英没有回去。

他反而又回到孙宾养病的那院子，门是他掩起来的，并没有从里面闩起。

他推开门走进去。

屋子里更阴暗，孙宾还是蜷曲在棉被里，连身都没有翻。

床下面的一双棉布鞋，还是整整齐齐地摆在那里。

萧少英还记得这双鞋是怎么样摆着的，若是有人穿过，他一眼就可以看出来。

这双鞋也没有人动过。

萧少英皱了皱眉，好像觉得有点奇怪，又好像觉得有点失望。

——难道他怀疑刚才暗算他的人，就是这重病的孙宾?

无论如何，这屋子里的确充满了一种说不出的阴森诡秘之意，无论谁都很难在这里耽下去。

他准备走，刚转过身子，就看见了葛停香。

葛停香的脚步很轻。

萧少英想不到这么样一个高大的人，走路时的脚步竟轻如狸猫。

他却忘了吃人的虎豹也和猫一样，脚下也长着厚而柔软的肉掌。

他们本就是同一种动物，都要有新鲜的血肉才能生存。

猫吃的是鱼鼠，虎豹吃的是狐兔，葛停香吃的是人。

门外夕阳正照在葛停香身上，使得他看来更雄壮威武。

“你现在想必也已看出来了。”他忽然道，“暗算你的人，绝不是孙宾。”

“你已知道我被人暗算？”

葛停香淡淡道：“这里的事，从来没有一件瞒得过我的。”

他摊开手掌，掌心托着枚银针：“暗算你的人，用的是不是这玩意儿？”

萧少英板着脸道：“这不是玩意儿，这是杀人的暗器，只要有一根打在我身上，现在我早就已是个死人。”

葛停香却笑了笑，道：“你不必对我生气，暗算你的人并不是我。”

萧少英道：“这也不是你的暗器？”

葛停香道：“这是我刚从那棵树上起出来的。”

萧少英道：“你知不知道这里有谁能用这种歹毒的暗器？”

葛停香摇摇头，道：“我也看得出这种暗器很毒……”

萧少英打断了他的话，道：“发暗器的手法更毒，一下子就发出了十七八根。”

葛停香道：“我已数过，只有十四根。”

萧少英道：“十四根和十七八根也没什么太大的分别。”

葛停香道：“分别很大。”

萧少英道：“分别在哪里？”

葛停香道：“若是十七八根，就连我也看不出这是什么暗器了。”

萧少英道：“现在你已看出来？”

葛停香点点头，道：“这种针虽细，可是打在树上后，每一根都直透树心。”

萧少英道：“若是打在我身上，只怕已透入我骨头里。”

葛停香道："一定会透入你的骨头里。"

萧少英目光闪动，似已明白他的意思："什么人能有这么大的手劲？"

葛停香道："没有人。"

萧少英道："所以这种暗器一定是机簧钢筒发出来的？"

葛停香点点头，道："世上的机筒暗器，最可怕的一种当然是孔雀翎。"

萧少英叹道："幸好这不是孔雀翎，否则就算有十个萧少英也全都死光了。"

葛停香道："除了孔雀翎外，还有几种也相当霸道，七星透骨针就是其中之一。"

萧少英动容道："这就是七星透骨针？"

葛停香道："所以它若打在你身上，就一定会透入你骨头里。"

萧少英道："七星应该是七根针。"

葛停香道："练七星透骨针的人，都是左右双手联发的，这也正是它最可怕的地方。"

左右双手联发，两筒针正好是十四根。

萧少英道："能用这种暗器的人并不多。"

葛停香道："这种暗器本就极难打造，最近更很少在江湖中出现。"

萧少英拈起他手里的银针，道："看来这玩意儿好像也并没有什么特别出奇的地方。"

葛停香道："可是发射这玩意儿的针筒，却出奇得很。"

萧少英道："哦？"

葛停香道："据说昔年'七巧童子'为了打造这种暗器，连头发都白了，一共也只不过才打造出七对，现在虽然还有剩下的，也绝不会太多。”

萧少英苦笑道：“看来我的运气真不错，居然就恰巧被我遇上了一对。”

葛停香道：“我也想不到这种暗器居然会在这里出现。”

萧少英道：“你也不知道这是谁的？”

葛停香摇摇头。

萧少英道：“不管他是谁，反正一定是天香堂里的人。”

葛停香突然冷笑，道：“不管他是谁，他这件事都做得很愚蠢。”

萧少英道：“我若已死了，他这件事就做得一点也不愚蠢了。”

葛停香道：“但是你现在并没有死，他却已暴露了他的身份。”

萧少英笑了，笑声中带着种讥嘲之意。

“你已知道他的身份？”

“嗯。”

“他是什么身份？”

“他身上有一对七星透骨针的针筒。”葛停香道，“这就是他的身份。”

萧少英脸上讥嘲的笑容已不见：“所以我们只要找出这对针筒来，就可以找出他的人。”

“你总算明白了我的意思。”

“可是针筒并不是长在身上的，他随时都可以扔掉。”

“他一定舍不得。”葛停香道，“无论谁有了这种暗器，都绝对舍不得扔掉。”

“他能不能藏到别的地方去？”

“不能。”

“为什么？”

“因为这是他的防身利器。”葛停香冷笑道，“我若要到青龙会里去卧底，我也一定会将我的防身利器随时随刻都带在身上。”

萧少英叹了口气——看来姜还是老的辣。

他忽然发现葛停香实在不可轻视。

“只可惜这种事绝不能明察，只能暗访。”

葛停香道：“所以我们不但要随时睁大眼睛，还得要耐心。”

“不管怎么样，我们现在总算已知道天香堂里确实有青龙会的人。”

“不错。”

“我们也已知道，这个人身上一定有一对七星透骨针的针筒。”

“所以你的任务虽然刚开始，却已有了收获。”葛停香又露出微笑。

“难道他们已知道你交给我的是什么任务，所以才对我下手？”

“也许他们只不过是在怀疑。”葛停香道，“做贼心虚，这种人的疑心总是特别重的。”

“我的疑心也很重。”萧少英苦笑道，“刚才我一直在怀疑孙宾。”

现在他们当然也走出了孙宾的屋子。

风吹榕叶，树干上还钉着十三枚银针。

他们就站在这棵榕树下，风吹树叶声，正好掩护了他们说话的声音。

“绝不会是孙宾。”

“为什么？”

“他跟着我已有十五年，一向是我最忠实的朋友。”葛停香的语气很肯定。

“可是天香堂的四位分堂主已经死了三个。”萧少英却还在怀疑，道，“他的运气为什么会比别人好？”

葛停香笑了笑道："因为他一直是跟在我身边的。"葛停香又接道，"否则他只怕也已死在李千山手下。"

"你杀了李千山？"

葛停香叹息："只可惜我出手还是迟了一步，他受的伤很重。"

"所以你又少了个好帮手。"

葛停香黯然点头。

"可是我一定会想法子让他活下去的，就算要我砍掉一只左手，我也在所不惜。"

"我也希望他活着，跟他交个朋友。"萧少英叹道，"能被你如此看重的人，好像并不多。"

"的确不多。"

葛停香忽然拍了拍他的肩："所以你一定也要替我好好活着。"

萧少英脸上居然露出了被感动的表情来。

"我也一定要找出那个人。"他说得很坚决，"我一定会要他后悔的。"

"因为他也暗算了你？"

萧少英点了点头："我不喜欢被人暗算。"

"没有人喜欢被人暗算的。"

"不管怎么样，这个人你一定要交给我。"

"我不但可以把他交给你，还可以把很多事都交给你。"葛停香微笑着，又拍了拍萧少英的肩，"只要你能找出这个人来，随便你要什么，我都给你。"

"真的？"

葛停香仿佛又有了些疑难。

"只不过我已是个老人，会看上我的女人已不多，能让我看上的女人也不多。"他还是在微笑，"我知道你一定会为我保留一些的。"

萧少英也笑了。

“不该要的，我当然不会要，也不想，我并不是个贪心不足的人。”

“所以我喜欢你这种人。”

葛停香慢慢地走出院子：“一个人只要懂得知足，就一定能活得比别人长些，而且也一定比别人活得快乐。”

04

白杨是春天的树，现在却已经是秋天。

葛新门外的白杨树，木叶已凋，只剩下了一树枯枝。

萧少英又到了这棵树下。

他还是没有回到自己屋里去，他知道小霞一定在等他。

一个女人若是已被男人征服，无论要她等多久，她都会等。

可是一个男人若暗算了别人，就绝不会等着别人来抓证据。

他一定要找出这个人的证据来。

他好像已认定这个人不是孙宾，就是葛新。

——暗算他的那个人，的确是个男人，他看得出，看得很清楚。

可是他却没有看见葛停香。

葛停香也没有回书房，此刻正站在院子外面的短墙下，背负着双手听着院子里的动静。

他听见了两下敲门声，只敲了两下，葛新没有回应，也没有开门。

他知道萧少英绝不会在外面等着，更不会就这么样走了的。

——这小子若要到一个人的屋里去，世上绝没有任何一扇门能挡得住他。

“砰”的一声，门果然被撞开了。

葛停香目中又露出笑意。

——这件事不能明察，只能暗访。

这句话虽然是他自己说的，可是他并没有出去阻拦，他想看看萧少英用什么新法子来处理这件事。

他也想看看葛新怎么样应付。

门被撞开了之后，屋子里居然没有响起惊呼怒喝的声音。

葛新一向是个很沉得住气的人。

看着萧少英闯进来，他居然还躺在床上没有动，只不过叹了口气，喃喃道：“看来我下次应该换种比较薄的木板来做门才对。”

萧少英冷笑道：“不是换厚一点的？”

葛新摇摇头，道：“厚木板不好，一定要换薄的，愈薄愈好。”

萧少英忍不住问道：“为什么？”

葛新道：“薄木板一撞就破，那么萧堂主下次要来时，就不会撞痛身子了，也不必再费这么大的力气。”

萧少英笑了。

“这次我也没有费力气。”他笑得实在有点令人毛骨悚然，“我的力气要留着杀人。”

“杀人？杀谁？”

“我只杀一种人。”萧少英沉下了脸，“想在背后暗算我的人。”

“谁敢暗算萧堂主？”

“你也不知道？”

“不知道。”葛新打了个呵欠，“我很难得有机会好好睡一觉。”

“你刚才一直都在睡觉。”

葛新点点头：“就因为我总是睡不够，所以只要一睡着，就睡得像死人一样。”

“只可惜你看来并不像死人。”萧少英冷笑道，“也不像刚睡醒的样子。”

“刚睡醒的人应该是什么样子？”

“刚睡醒的人，鞋底下不会有泥。”

葛新的脚正好从被窝里露了出来，脚底的确很脏……这是不是因为他刚才赤着脚溜出去过，还打出了两筒七星透骨针？

“我的脚面上也很脏。”葛新道，“我不喜欢洗脚，据说洗脚伤元气。”

萧少英盯着他。

“你的力气是不是也要留着杀人的？在背后用暗器杀人？”

“只不过我也只杀一种人。”

“哪种人？”

“我一杀就死的那种人。”

“人有失手，马有失蹄。”萧少英冷笑道，“无论谁都难免偶尔失手一两次的。”

葛新忽然张大了眼睛，吃惊地看着他，好像直到现在才听出他的意思。

“萧堂主难道认为我就是那个在背后发暗器的人？”

萧少英冷冷道：“不管是不是你都一样。”

葛新道：“都一样？”

萧少英道：“我都一样要杀你……”

葛新怔住。

萧少英道：“站起来。”

葛新苦笑道：“我既然已经要死了，为什么还要站起来？”

萧少英道：“我不杀躺着的人。”

葛新道：“但是我却喜欢躺着死。”

他叹了口气喃喃道：“一个人要死的时候，总该有权选择怎么样死的。”

萧少英冷笑道：“我要你站着死，你就得站着死。”

葛新道：“看来你并不像是个这么不讲理的人。”

萧少英道：“现在我变了。”

他忽然冲过去，一把揪住了葛新的衣襟，反手掴在他脸上。

葛新非但完全不闪避，反而闭上了眼睛，淡淡道：“现在你自己是分堂主，你可以不讲理，只不过我也可以不站起来。”

萧少英道：“我总有法子叫你站起来的。”

他的手又挥出，忽然听见床底下发出一阵奇怪的声音，就像是牙齿打战的声音。

“床底下莫非有人？”

萧少英膝盖一撞，木板床就垮了，下面立刻又响起一声惊呼。

是女人声音。

床下果然有人，一个几乎完全赤裸的女人。

这次怔住的是萧少英。

这女人不仅年轻，而且很漂亮，坚挺的胸，纤细的腰，修长的腿。

萧少英虽然没有盯着她看，却已看得很清楚。

他的眼睛一向很不老实的。

这女孩子的脸已红了，一把拉过葛新身上的被子，却忘了葛新下半身，除了这床被子外，也像个刚出世的婴儿一样。

这次萧少英虽然看了一眼，却没有看清楚。

葛新苦笑道："你现在总该明白我为什么不肯站起来了吧？"

萧少英也不禁苦笑："我现在也明白你为什么总是睡眠不足了。"

那女孩子忽然大声道："那么你更该明白，暗算你的人绝不是他。"

萧少英道："你一直都在这里？"

女孩子的脸更红，却还是点了点头："他也一直都没有出去过。"

萧少英看了看她，又看了看葛新，忽然笑了。

她已将棉被分了一半盖在葛新身上，棉被下面还在动。

萧少英微笑道："有你这么样一个女孩在身边，看来他的确不会有空出去暗算别人的。"

女孩子咬着嘴唇，道："他就算想出去，我也不会让他走的。"

萧少英笑道："我看得出，我是个很有经验的男人。"

女孩子居然笑了笑，道："我也看得出。"

萧少英大笑。

"我若有这么样个女子陪着我，我也会睡眠不足的。"他大笑着，拍了拍葛新的肩，"可是你为什么不早说？"

"因为……"葛新嗫嚅道，"因为这件事不能让老爷子知道。"

"为什么？"

"因为她是郭姑娘房里的人，本不能到我这里来的。"葛新终于说了实话。

"她也是郭姑娘房里的人？她叫什么？"

"叫翠娥。"

翠娥，又是翠娥。

"那里一共有几个翠娥？"

"只有一个。"

萧少英又不禁苦笑，只有一个翠娥，他却已见到了三个。

“我就是翠娥，你告诉老爷子我也不怕，我死也要跟着他。”翠娥居然拉住了葛新，“不管死活，我都要跟着他。”

看来这翠娥倒是真的。

另外那两个呢？

“翠娥”这名字既不太好，又不特别，她们为什么要冒翠娥的名？

葛成为什么要说谎？他是替谁在说谎？

“我虽然有点不讲理，却不算太不识相。”萧少英终于走了，对这种事他总是很同情的，他微笑着走出去，还特地把那扇已被他撞裂的门闩起来。

“只不过你倒真该换个门了，一定要换厚点的木板，愈厚愈好。”

05

“只可惜遇着了你这种人，我就算替他装个铁门，也一样没有用的。”

这句话是葛停香说的。

萧少英一走出院子，就看见了葛停香。

他脸上居然还带着微笑，又道：“看来你的疑心病的确很重，而且很不讲理的。”

萧少英也笑了笑，道：“宁可杀错一千人，也不能放过一个，这句话好像是你自己说的。”

葛停香道：“我说的话你全都记得？”

萧少英道：“每个字都绝不会忘记。”

葛停香看着他，目中露出满意之色。

“我并不是个很苛求的人。”他慢慢说道，“因为我的兄弟们不但都为我流过汗，也流过血，所以他们平时就算荒唐些，我也不过问。”

“可是你对葛新却是例外的。”

葛停香承认：“他晚上的责任很重，我要他白天好好地养足精神。”

萧少英笑了笑，道：“无论谁跟翠娥那种女人在一起，都没法子养好精神的。”

葛停香也笑了：“听她说话，对葛新倒不是虚情假意。”

萧少英道：“你准备成全他们？”

葛停香点了点头，道：“一个男人到了相当的年纪，总是需要个女人的，他今天虽然做错了事，可是……”

萧少英替他说了下去道：“有时做错了事反而有好处，因为一个人若是有很深的心机，很大的阴谋，就绝不会做错事的。”

葛停香大笑，道：“我说的话，你果然连一句都没有忘记。”

夕阳的最后一瞥余晖，正照着他们的笑脸，今天他们的心情仿佛特别愉快。

“你若没有别的事，就留下来陪我吃晚饭，我为你开一坛江南女儿红。”

“我有事。”萧少英居然拒绝了他的邀请。

“什么事？”

“我也是个男人，而且也已到了相当年纪。”萧少英笑了笑道，“听说小霞还特地为我烧了几样好菜。”

葛停香又大笑：“有小姑娘在等着的时候，当然没有人愿意陪我这老头子吃饭。”

“有一个人。”萧少英笑着，“就算有八百个小姑娘在等着，她一定还是宁愿陪你。”

葛停香当然知道他所说的是谁。

“可是我今天没有打算要她来。”

“为什么？”

“因为我不愿别人把我看成个无精打采的老头子。”葛停香笑道，“有她在旁边，也没有人能养好精神的。”

萧少英忽然又露出被感动的表情。

他忽然发现这老人已将他当作朋友，这种话本就是只有在朋友面前才能说得出口的。

葛停香又拍了拍他的肩。

“你走吧，我叫人把那坛女儿红也替你送去，既然有好菜，就不能没有好酒。”

萧少英忽然道：“我留下来陪你。”

葛停香却摇了摇头，笑道：“你不必陪我，一个人年纪若是渐渐老了，就得学会一个人喝酒吃饭，我早已学会了。”

他带着笑，大步走出院子。

萧少英看着他高大的背影消失在暮色里，眼里忽然露出种很奇怪的表情，仿佛有些悲伤，又仿佛有些恐惧。

他已渐渐了解这老人。

他发现这老人并不如他想象中那么冷酷无情。

友情岂非本就是因了解而产生的？

这本不是件应该悲伤恐惧的事。

他心里究竟在想着什么？

没有人知道——萧少英的心事永远都没有人知道。

第八章

厮　杀

01

暮色已临。

葛停香走上长廊，长廊里已燃起了灯，灯正照在廊外的凤仙花上。

他脸上居然还带着微笑，他忽然觉得萧少英这青年人有很多可爱的地方。

“假如我能有个像他一样的儿子……”

他没有再想下去。

他没有儿子。

早年的挣扎奋斗，艰辛血战，使得他根本没有成家的机会。

可是现在他已百战功成，已不必再挣扎奋斗。

百战英雄迟暮日，温柔不住住何乡？

——也许我已该叫玉娘替我养个儿子。

他正想改变主意，再叫人把郭玉娘找来，忽然听见一声惨叫。

呼声是从后面的院子里传出来的。

葛停香并不是第一次听见这种呼声，他的刀砍在别人身上，总会听见这个人发出这种呼喊，他已听过无数次，但他却是第一次听见萧少英发出这种呼喊。

这一声呼喊竟赫然是萧少英的声音。

除了刀砍在身上时之外，绝没有人会发出如此惨厉的呼声。

是谁的刀砍在他身上了？

这机警灵活，武功又高的年轻人，居然也会挨别人的刀？

葛停香已蹿出长廊，掠上屋脊。

他的动作仍然灵敏、矫健，反应仍然极快，看他的身手，谁也看不出他已是个老人。

岁月并没有使他变得臃肿迟钝，只有使他的思虑变得更周密，更沉得住气。

但是现在他却已沉不住气，他想不出天香堂里有什么人能伤得了萧少英，那绝不会是王桐。

王桐已奉命出去行动。

那更不会是郭玉娘。

郭玉娘根本不是拿刀的女人，她的手只适宜于被男人握在手上。

难道是葛新？

葛停香掠过了两座屋脊，就看见下面院子里正有两人在恶战。

两个人的武功都不弱，其中有一个果然就是葛新，另一个人却不是萧少英。

萧少英已倒在地上，半边身子已被鲜血染红，果然已挨了一刀，而且挨得不轻。

刀也被鲜血染红了。

这柄血刀却不在葛新手上，反在另一个人手上。

另一个竟赫然是王桐。

王桐一接到命令后，就应该立刻开始行动。

现在他为什么还没有走?

葛停香还没有开始想这问题，倒卧在血泊中的萧少英忽然凭空跃起，双腿连环飞出，用的竟是江湖鲜见的绝技，死中求活的杀招“卧云双飞脚”。

王桐的反应似已迟缓，闪开了他的左脚，却闪不开他的右脚。

萧少英一脚踢中他的后腰，葛新捏拳成鹰喙，已一拳猛击在他喉结上。

无疑是致命的一拳。

葛停香就算想阻止，已来不及了。

他已听见王桐喉骨折断的声音，已看到王桐眼睛忽然死鱼般凸出。

萧少英又倒了下去，伏在地上喘息。

王桐瞪着他，死鱼般凸出的眼睛里，充满了愤怒与恐惧，像是想说什么，却连一个字都没有说出，人已倒了下去。

葛新身上也被划破了两道血口，也弯下腰，不停地喘息，甚至想呕吐。

但他却还是挣扎着，扶起萧少英，道：“你怎么样啦？”

萧少英勉强笑了笑，道：“我还死不了。”

他扶着葛新的肩，喘息着又道：“我想不到你会来救我，我一直都看错了你。”

葛新咬着牙，道：“我也一直都看错了王桐。”

他们居然都没有看见葛停香，这场生死一发的浴血苦战，已耗尽了他们全部精力。

葛停香的脸色铁青。

他已跃下来，已确定王桐必死无救。

天香堂里的这位头一号杀手，还没有死之前，身上的骨头就已断了五根。

萧少英伤得也不轻。

葛停香直到这时，才发现他的一只左手已被齐腕砍断，立刻冲过去，扶起了他："这究竟是怎么回事？"

看见了他，萧少英才长长吐出口气。

"你总算来了，"他想笑，笑容却因痛苦而变形，"我总算已替你找出了一个人。"

"一个什么人？"

"青龙会的人！"

"王桐？"

萧少英叹道："我也想不到是他，所以我才来。"

"是他要你来的？"

"他说他有机密要告诉我，谁知他竟然对我下毒手！"萧少英凄然接道，"他好快的出手。"

葛新叹了口气道："我赶来的时候，正好看见萧堂主倒下去，王桐还赶过去砍第二刀呢。"

萧少英苦笑道："若不是他救了我，我早已死在王桐刀下了。"

葛新道："我本也是不知道这是怎么回事，也不敢出手，幸好我恰巧听见王桐说了一句话。"

葛停香立刻问："什么话？"

"你要找的七星透骨针，就在我身上，等你死了后，我就送给你。"——这就是王桐在挥刀时对萧少英说的话。

葛新道："然后萧堂主就问他，是不是想栽赃？他居然承认了。"

葛停香道："所以你才出手的？"

葛新道："他也没有想到我会来。"

葛停香道："你怎么会恰巧及时赶来的？"

他来得也很快，一听见惨呼声就赶来了，他想不通葛新怎么会比他来得更快。

"因为我一直都在跟着萧堂主，"葛新迟疑着，终于鼓起勇气道，"我本想问问萧堂主，老爷子在他面前说了些什么话？"

葛停香沉着脸，忽然道："去看看七星透骨针是不是在他身上？"

七星透骨针果然在王桐身上。

葛停香看着这对精巧的暗器，又看了看王桐，眼睛里的表情也不知道是悲哀，是惋惜，还是愤怒。

"我一直都对他不错，他为什么要做这种事，为什么要出卖我？"

萧少英了解他的心情。

王桐一直是他最亲信、最得力的助手，被自己最亲信的人出卖，心里的滋味当然不会好受。

"我也许不该杀他的。"萧少英叹道，"杀了他，就等于毁了你的一条左臂。"

葛停香忽然笑了笑。

"我虽然损失了一条左臂，却不是没有代价的。"

"什么代价？"

"你。"

"可惜我只剩下一只手。"萧少英黯然道。

葛停香笑道："一只手又如何？一只手的萧少英，也远比王桐好得多。"

他扶起萧少英，又道："所以你也不必难受，你虽然也损了一只左手，却替你换回了很多其他的东西回来。"

“我换回的是什么？”

“你至少换来了我对你绝对的信心。”葛停香缓缓地说道，“从今天起，你就是天香堂的第一位分堂主。”

“可是我……”

葛停香打断了他的话：“我已是个老人，我没儿子，等我百年之后，这一片江山就是你的。”

“所以你一定要打起精神来，好好地去做。”

萧少英看着他，眼睛里又露出那种奇怪的表情，竟忘了说话。

葛停香道：“你看来好像有心事？”

萧少英点点头。

葛停香道：“你在想什么？”

萧少英笑了笑，道：“我在想，不知道今天是不是还能喝你那坛江南女儿红。”

葛停香也笑了：“一个人的手被砍断，居然还在想着喝酒，这种人只怕不多。”

萧少英道：“我本来就不是人，我是个酒鬼。”

葛停香微笑着，回过头问葛新：“你见过这样的酒鬼没有？”

葛新道：“没有。”

葛停香看着萧少英血淋淋的断腕，忍不住叹了口气，说道：“这人就算是个酒鬼，也一定是个铁打的。”

02

萧少英并不是铁打的，直到现在，他还是觉得很虚弱。

现在夜已很深。

葛停香用最好的刀创药，亲手为他包扎了伤口。

“我会把那坛女儿红留给你的，可是你现在最好不要想它。”葛停香再三嘱咐，“你最好什么都不要想，好好地睡一觉。”

萧少英自己也知道自己应该睡一觉，但却偏偏睡不着。

睡眠也像是女人一样，你愈想要她的时候，她往往反而离得你愈远。

何况他心里还有很多事都不能不去想。

想到了女人，他就想到了郭玉娘，想到了翠娥，当然也想到了小霞。

就在他开始想的时候，小霞已来了。

灯光朦胧。

在朦胧的灯光下看来，小霞实在像极了郭玉娘，只不过比郭玉娘年轻些，眼睛比郭玉娘大些，却没有郭玉娘那么妩媚温柔。

可是，她另外有一股劲。

萧少英看得出，她外表虽然是个淑女，骨子里却是团火。

像她这种女人并不多。

就因为这种女人不多，所以大多数男人才能好好地活着。

她已坐下来，坐在床头，看着萧少英，忽然道：“你知不知道我等你一下午了？”

萧少英点点头。

小霞道："你如果早点回来，岂非就不会出这种事了。"

萧少英淡淡道："这种事也没什么不好。"

小霞冷笑道："只可惜没有女人会喜欢一只手的男人。"

萧少英笑道："你错了，大错而特错。"

小霞道："哦！"

萧少英道："一只手的萧少英，也比别人的八只手有用。"

他忽然伸出了他唯一的一只手，抱住了小霞的腰。

他这只手的确很有用。

一倒下去，小霞整个人都似已融化，轻抚着他的断臂："你难道一点也不心疼？"

萧少英道："我从来也没有为任何事心疼过。"

小霞柔声道："可是我心疼，疼得要命。"

萧少英道："可是你看来并不像疼的样子。"

萧少英轻轻地咬了咬她的耳朵，她的人立刻缩成一团。

"你看来就像是只猫。"萧少英笑道，"一只正在叫春的母猫。"

小霞"嘤咛"了一声，温暖柔软的身子，已蛇一般缠住了他。

"我若是只猫，你就是只老鼠。"她吃吃地笑着道，"我要吃了你。"

她好像真的已变得像要吃人的样子。

这世上本就有这种女人，站着的时候虽然端庄文雅，可是一躺下去就变了。

她就是这种女人。

她现在已完全顾不到端庄文雅的形象了。

"轻一点行不行，莫忘记我现在是个受了伤的人。"萧少英像是在求饶。

小霞却偏偏不饶他。

“我不管谁叫你受伤的。”她身子在发烫，“别人都说你是个铁人，我倒要看看你究竟是不是铁打的？”

“我只有一个地方是铁打，我……”

他的话还没有说完，她已一口咬在他脖子上，连血都咬了出来。

可是她的嘴并没有放松，眼睛里反而发生了异样的光。

萧少英从来也没有怕过女人，现在却好像有点害怕了。

这个人的情欲，简直就像是野兽一样。

——事实上，她有很多地方都像野兽一样。

——“二姑娘是个规矩人，平常总是足不出户，从来也没有人看见她走出过这院子。”

他又想起了葛成说的话。

葛成看来也像是个老实人，说的却偏偏像是谎话。

为什么？

萧少英没有再想下去，也没空再想。

有了小霞这么样一个女人在旁边，无法也不会有空去想别的。

幸好就在这时，窗外忽然有人在轻喝：“二姑娘？”

“谁？”

“我，翠芬。”

“什么事？”

“大姑娘有事，请二姑娘赶快。”

小霞叹了口气。

“平常她从来也不管我，一有事她就来催命了，这就是她的本事。”

她轻拢着鬓发，想站起来。

萧少英却又抱住了她的腰。

小霞娇笑着求饶："放过我好不好？我去去就来。"

"不行，不准你去。"

"可是我姐姐一向比我凶，我不去，她会生气的。"小霞居然也有怕的人。

"你姐姐是谁？"

"你坏死了。"小霞嘟起了嘴，"……你明明知道，为什么还要故意问？"

"你说的是郭玉娘？"

"嗯。"

萧少英忽然笑道："你自己就是郭玉娘，为什么还要找你自己？"

小霞仿佛吃了一惊："你说什么？"

萧少英淡淡道："我说你就是郭玉娘，郭玉娘就是你。"

小霞吃惊地看着他，摸了摸他的额角："你是不是在发烧？"

萧少英道："我清醒得很，从来也没有这样清醒过。"

小霞道："那么你为什么一定要说我就是我姐姐？"

萧少英道："因为我今天看见一样怪事。"

小霞道："你看见了什么呢？"

萧少英道："我看见了三个翠娥。"

小霞叹了口气。

"你一定是发烧，而且烧得很厉害，所以你说的话，我连一句都不懂。"

"你应该懂的，而且比别人都懂。"萧少英淡淡道，"可是我本来却不懂，翠娥明明只有一个，怎么会变成了三个？"

"现在你已懂了？"

萧少英点点头。

"三个翠娥中当然有两个是假的。"

“哪两个？”

“我在孙宾那院子里看见的不是翠娥，是你。”萧少英道，“我没有看清楚，葛成也没有看清楚，但是他却知道你常常到那里去，他不愿让我知道这件事，所以就随口编了个谎话来骗我，说你是翠娥。”

“孙堂主的病，本就是我在照应的，就算我到了那里去，也不算什么奇怪的事。”

“但你却不是真正的小霞。”萧少英道，“我第二个看的翠娥，才是真正的小霞。她当然也知道你的秘密，所以，也不愿我知道她才是小霞，就也随口说了个谎，说她就是翠娥。”

“为什么她们不说别的名字，都说翠娥，难道这名字特别好？”

“这名字并不好。”萧少英道，“只不过她们都知道翠娥白天都躲在葛新房里，绝不会被我见着，所以才选了这名字。”

他笑了笑：“谁知道我却偏偏闯进葛新屋里去，看见了那个真的翠娥。”

小霞眨了眨眼睛，道：“我若不是小霞，为什么要冒充她呢？”

“因为小霞随便跟什么男人在床上都没关系，郭玉娘却不行的。”

“因为郭玉娘知道老爷子的醋劲很大？”

“只可惜老爷子的醋劲虽然大，别的劲却不大，有时候甚至有点怕郭玉娘，宁愿把自己一个人关在书房里。”

萧少英叹了口气，又道：“郭玉娘却偏偏是个少不了男人的人。”

“郭玉娘冒充小霞，难道就不怕老爷子知道？”

“因为老爷子从来也不管别人的私事，也不会到郭玉娘房里去，他若要找郭玉娘的时候，翠芬就会去通知的。”

“就好像刚才一样？”

“不错，就好像刚才一样，刚才就是老爷子在找你。”

“所以你认为我就是郭玉娘。”

“你根本就是。”

“看来你的确是个很厉害的人，比我想象中还要厉害得多。”

“我本来也没有把握，只不过觉得很奇怪，世上怎么会有长得这么像的姐妹。”萧少英笑了笑，“你的易容术本来是很不错，只可惜你却不肯把自己扮得丑些。”

“因为我根本想不到有人会揭穿我的秘密。”她居然也笑了笑，不再否认。

她笑得妩媚而甜蜜，慢慢地接着道：“这秘密揭穿后，对你们男人并没有好处。”

萧少英道：“幸好这秘密现在还没有被揭穿。”

郭玉娘道：“哦！”

萧少英道：“除了我之外，现在还没有别人知道这件事。”

郭玉娘道：“你是不是个能保守秘密的人？”

萧少英道：“这就得看了。”

郭玉娘道：“看什么呢？”

萧少英道：“看你是不是有法子能让我保守秘密了？”

郭玉娘笑得更媚，道：“我一定会想出个法子来的，我……”

她的声音被打断。

萧少英手又揽住了她的腰。

就在这时，突然间，两个人同时发出了一声惊呼——

萧少英的胸膛上，已被刺了一刀，刀锋仍留在胸膛上。

可是他的手，也已拧住了郭玉娘的右腕，将她整个手臂都拧到背后，厉声道：“你竟敢暗算我，竟敢下毒手？”

郭玉娘嘶声道：“你疯了吗？”

萧少英道：“疯的是你。”

郭玉娘美丽的脸已因痛楚而扭曲，道：“你放开我。”

萧少英道：“不放。”

郭玉娘道：“难道你想拧断我的手！”

萧少英冷冷道：“不但要拧断你的手，还想挖出你的眼睛，割下你的舌头。”

他的手更用力。

郭玉娘耳中已可听见被拧断的声音，忍不住流泪哀求。

“只要你放过我这一次，随便要我怎么样，我都答应你。”

萧少英冷笑道：“我也想放开你，只可惜你说的话，我一个字也不信。”

郭玉娘道：“你要怎么样才信？”

萧少英道：“桌上有笔墨，你想必一定会写字的。”

郭玉娘道：“你要我写什么？”

萧少英道：“写一首诗，我吟一句，你写一句。”

郭玉娘道：“你不放开我，我怎么写？”

萧少英道：“你还有左手。”

郭玉娘叹了口气，道：“我左手写字很难看，可是你若一定要我写，我也没法。”

萧少英冷冷道：“你最好快写，若是写得慢了，只怕就一辈子再也休想看你这只右手。”

郭玉娘咬着嘴唇，道：“你为什么还不快念？”

萧少英已开始在念：“本属青龙会，来作卧底奸，厌卧老人侧，窃笑金樽前，双环已腐朽，此地亦不远，九月初九日，停香奈何天。”他念一句，郭玉娘就写一句。

她是个非常聪明、非常美丽的女人，像她这种女人，最不能忍受的，就是肉体上的痛苦。

萧少英将她写的看了一遍，忽然大声呼喝道："葛成。"

他知道外面一定有人在守着，也知道葛成与郭玉娘之间，一定有极不平常的关系。

葛成本就是个很精壮的男人。

"在……"

门外已有人应声而入。

进来的人，果然是葛成。

萧少英冷冷道："你想不想活下去？"

葛成点点头，脸上已变了颜色。

萧少英道："你若想活下去，就赶快将这张纸送去给老爷子。"

葛成去得真快。

郭玉娘看着他走出去。

她看了看萧少英，忽然笑了。

她摇着头笑道："你这首诗作得实在不太高明。"

萧少英淡淡道："我并不是李白。"

郭玉娘道："你这件事做得也不太高明。"

萧少英道："哦！"

郭玉娘道："我实在想不到你会做出这么滑稽的事。"

萧少英道："这件事很滑稽？"

郭玉娘冷笑道："不但滑稽，简直滑稽得要命。"

萧少英道："要谁的命？"

郭玉娘道："当然不会要我的命，老爷子并不笨。"

萧少英道："他本来就不笨。"

郭玉娘道："难道你真的认为他看了那首诗，就会相信我是青龙会的人？"

萧少英道："难道你不是？"

郭玉娘叹了口气，道："不管我是不是，现在都已没关系了。"

萧少英道："为什么呢？"

郭玉娘道："因为你已做了件又可怜、又滑稽的笨事。"

萧少英忽然也笑了笑，道："只不过这件事的确能要人的命。"

他没有再说下去。

郭玉娘也没有再问。

他们都已听见了门外的脚步声。

一种狸猫般的脚步声，踏在落叶上，轻得又仿佛一阵风。

老爷子终于来了。

萧少英苍白的脸上，忽然泛起了一阵兴奋的红晕。

他知道所有的一切事，现在都已将近到了结局。

这结局本是他一手造成的。

第九章

仇　恨

01

没有敲门，门已被推开。

葛停香慢慢地走进来，走到郭玉娘面前。

他的双拳紧握，目光就像是一双出了鞘的刀，盯着郭玉娘的脸。

郭玉娘轻轻叹了口气，道：“你总算来了，快叫他放开我的手。”

葛停香没有开口。

他看着她凌乱的衣襟、凌乱的头发，眼睛里忽然充满了悲哀和愤怒。

他慢慢地伸出手，摊开，他干燥坚定的手也已变得潮湿而颤抖了。

他的掌心捏着一团已揉皱了的纸，忽然问：“这是不是你写的？”

郭玉娘咬紧了牙，道：“是他强迫我写的，每个字都是。”

葛停香道：“当然是。”

郭玉娘道：“你知道？”

葛停香冷冷道：“谁也不会心甘情愿地写出自己的罪状来的。”

郭玉娘道：“可是上面写的那些话，也不是我自己的意思。”

葛停香道：“我只问你这是不是你自己的笔迹？”

郭玉娘只有承认："是的。"

葛停香忽然冷笑，道："你自己去看，这是不是一个人的笔迹。"

他抛出那团揉皱了的纸，抛在郭玉娘面前。

郭玉娘摊开，才发现纸有两张，一张是刚才那首诗，另一张却是一封信。

——九月初九日，不归顺，就得死！

这是青龙会的最后通牒，看笔迹也是用左手写出来的。

两张纸上的笔迹，果然是完全一样的，只不过……

郭玉娘忽然叫了起来，道："这……这不是我写的。"

葛停香冷笑道："你刚才没有否认。"

郭玉娘道："我刚才没有看出来，这不是我刚才写的那张纸。"

"本属青龙会，来作卧底奸……"

纸上的诗句虽然完全一样，可是笔迹却已不一样了。

她当然认得出自己的笔迹。

是谁写了这么样完全相同的一首诗来害她？

葛停香道："这张纸是不是这里的？"

郭玉娘点点头，桌上还有一叠同样的纸。

葛停香道："写诗用的笔墨，是不是这里的笔墨？"

郭玉娘也只有承认。

葛停香道："我已问过葛成，他也知道这是萧少英强迫你写的，他接过之后，就立刻赶去送给我，就算有人想再仿造一张，也万万来不及，何况别人也没有这样的笔墨、这样的纸。"

郭玉娘道："可是我……"

葛停香打断了她的话，冷冷道："你现在总该已明白，萧少英故意要你用左手写这首诗，为的只不过要骗出你的笔迹来。"

郭玉娘的心沉了下去。

她忽然发现这件事的确一点也不滑稽，却真的能要命。

萧少英叹了口气，苦笑道："我本来也想不到她会是青龙会的人，更想不到她会忽然下毒手来暗算我，幸好我没有醉，否则这一刀就已要了我的命了。"

郭玉娘又叫了起来，大声道："你疯了吗……"

葛停香答道："他没有疯，疯的是你，你本不该做这种蠢事的。"

郭玉娘道："可是我并没有暗算他，我根本没有动过手。"

葛停香道："这一刀不是你刺的？"

郭玉娘道："绝不是。"

葛停香冷笑道："若不是你，难道是他自己？"

没有人会自己对自己下这种毒手的。

无论谁都看得出，萧少英绝不是个疯子。

葛停香道："他杀了王桐，他知道的秘密太多，又太聪明，现在距离九月初九已不远，你绝不能让他活到那一天。"

郭玉娘道："可是我明明知道他的武功，我为什么要自己下手？"

葛停香道："因为你知道他已对你动了心，而且已受了伤，这正是你最好的机会。"

他眼睛里又充满了悲哀和愤怒，徐徐道："只可惜你不但低估了他，也看错了他，他并不是那种会为女人去死的男人，世上绝没有任何女人能骗过他，连你也不能。"

郭玉娘道："可是……"

葛停香紧握双拳道："可是你却几乎骗过了我。"

郭玉娘道："难道你……你宁愿相信他，不相信我？"

葛停香道："我本来也宁愿相信你的……"

要一个老人承认自己被一个自己心爱的女人欺骗，那的确是种令人很难忍受的痛苦。

他坚毅严肃的脸已因痛苦而扭曲，黯然道："我也宁愿杀了他，说他是骗子，在冤枉你。"

郭玉娘突然冷笑，道："可是你不能这么样做，因为你是葛停香，是个了不起的大英雄，你当然不能为了一个女人毁了你的威望。"

葛停香道："绝不能的。"

郭玉娘道："为了表现你自己是个多么有勇气，多么有决心的人，你只有杀了我？"

葛停香道："天香堂能有今天，并不是我一个人造成的，天香堂的基业下，也不知已埋藏了多少人的尸骨，就算我不惜让你毁了它，那些死后的英魂也不会答应。"

他慢慢地转过身，沉声呼唤道："葛新！"

葛新就站在门外。

在夜色中看来，他显得更冷酷镇定，就像是变成了第二个王桐。

王桐的任务通常只有一种：杀人！

萧少英放开了郭玉娘的手，他知道现在她已无异是个死人。

葛停香已连看都不再看她一眼，紧握的双拳上，青筋凸出。

他已下了决心！

葛停香的决心，是不是真的没有人能动摇？

郭玉娘忽然冲过来，拉住了他的衣襟，嘶声道："你为什么要叫别人来杀我，你为什么不敢自己动手？"

葛停香手掌一划，衣襟断裂。

这就是他的答复，他们之间的恩情，也正如这衣襟一样被划断。

郭玉娘咬紧了牙，冷笑道："不管怎么样，我总是你的女人，你若真的是个男子汉，要杀我，就应该自己动手。"

她忽然撕开了自己的衣襟，露出了雪白的胸膛。

“只要你忍心下手，随时都可以拔出你的刀，把我的心挖出来。”

她的乳房玲珑坚挺，就如白玉。

她知道他绝不忍下手的，她了解他对她的感情和欲望。

只可惜她这次想错了。

葛停香的眼睛里，并没有欲望，只有愤怒。

这双晶莹无瑕的乳房，本是他所珍爱的，现在他才知道，曾经抚摸占有过的并不止他一个人。

这种忌妒的火焰，甚至远比怒火更强烈。

他已是个老人。

她却很年轻。

只要她活着，迟早总有一天要属于别人。

“你真的要我杀了你？”

郭玉娘挺起了胸，道：“只要你忍心，我情愿死在你的手上。”

葛停香道：“好。”

“好”字出口，刀已出手。

刀光一闪，闪电般刺入了她的胸膛。

郭玉娘吃惊地看着他，一双美丽的眼睛渐渐凸出，充满了惊慌和恐惧。

她死也不信他真的能下得了手。

“你……你好狠……”

这就是她最后说出的三个字。

02

夜已深。

晚风中带着刺骨的寒意，郭玉娘温暖柔软的躯体已渐渐冰冷了。

大地也是冰冷的。

葛停香动也不动地站着，眼角不停地在跳，皱纹更深了，就像是忽然又老了十岁。

萧少英看着他，忽然大笑，笑个不停。

葛停香忍不住厉声道："住口！"

萧少英还在笑："我没法子住口，我忍不住要笑！"

葛停香怒道："为什么？"

萧少英笑道："无论谁杀错了人时，我都忍不住要笑的。"

葛停香霍然转身，瞪着他，瞳孔收缩，全身都已绷紧。

"我杀错了她？"

萧少英点点头，微笑道："错得很厉害。"

葛停香就像是突然被人一拳打在胸膛上，连站都已站不稳。

"她不是青龙会的人？"

"不是！"

"她没有暗算你？"

"没有，"萧少英拔下胸口的刀，刀锋很短，伤口并不深，"这把刀是我自己特地打造的，我只不过自己轻轻刺了自己一刀。"

"可是这笔迹……"

"这笔迹也不是她的，她写的不是这一张。"萧少英微笑着接道，"她写的那张已被人在中途掉了包。"

葛停香踉跄后退，倒在椅子上。

这打击对他太大——无论对什么人都太大。

亲手杀死自己最心爱的女人，本就已是种无法忍受的痛苦，何况杀错了。

萧少英微笑道："这首诗本就是我作的，纸笔也在我房里，我早就叫人先写了一张。"

"那三封信也是你叫人写的？"

"不错。"

"你才是青龙会的奸细？"

"错了。"

"你究竟是什么人？"

"是个早就在等着找你算账的人。"萧少英道，"已等了两年。"

"两年？"

"两年前我被逐出双环门，本就是为了要对付你。"

萧少英笑了笑："你总该知道，我就算喝醉了，也不会真的做出那种事。"

葛停香又显得很吃惊："难道你并没有真的被逐出双环门？"

萧少英道："你是不是认为自己本该知道这秘密？"

葛停香道："为什么？"

萧少英道："两年前，我们已知道双环门中有你的奸细，而且这秘密除了先师和盛如兰外，绝没有别人知道。"

葛停香道："只可惜你倒一直不知道谁是我们的奸细。"

萧少英叹道："我们的确一直都看不出是谁被你收买了，双环门的弟子本都是铁血男儿。"

葛停香冷笑道："铁打的人，也一样有价钱的。"

萧少英恨恨道：“只恨我们一直都没有找出来，否则双环门也不致一败涂地。”

葛停香道：“所以现在你就算已知道他是谁，也已太迟了。”

萧少英道：“还不太迟。”

葛停香道：“现在你已有把握击败我？”

萧少英道：“现在我已击败了你。”

葛停香冷笑道：“这句话，你说得未免太早了些。”

他忽然挥手，厉声呼唤：“葛新！”

“在！”

葛新脸上全无表情，一双眼睛却刀锋般盯在萧少英身上。

他知道自己的任务。

他的任务就是杀人。

萧少英却笑了，微笑着道：“他要你来杀我？”

葛新道：“是。”

萧少英道：“你是不是真的要杀我？”

葛新道：“不是。”

萧少英道：“你要杀的是谁？”

葛新道：“他！”

03

葛停香的心已沉了下去。

葛新要杀的人居然不是萧少英，而是他。

他以前虽然绝对想不到，但现在却已忽然完全明白，天香堂中的奸细既不是王桐，更不是郭玉娘。

“原来天香堂里唯一的奸细就是你。”

葛新承认：“我唯一的朋友，就是萧少英。”

葛停香道：“是他要你来的。”

葛新冷笑道：“若不是为了他，我怎么肯做葛家的奴才？”

葛停香长叹，道：“只恨我当时竟没有仔细查问你的来历。”

葛新冷冷道：“那时你并没有打算重用我，也没有人会真心去调查一个奴才的来历。”

葛停香道：“你倒算得很准。”

葛新道：“若是算得不准，我也不会来了。”

葛停香道：“那三封信是你写的？”

葛新道：“每个字都是。”

葛停香叹道：“我早就该想到的，要进我的书房，谁也没有你方便。”

葛新道：“只可惜你一直都没有想到。”

萧少英笑了笑，道：“因为你一直都在为青龙会担心，你全心全意都在提防着他们，根本就没有心思去注意别的事。”

葛新道：“你认为双环门已一败涂地，根本已不足惧。”

萧少英道：“但你却忘了，双环门里，还有一个萧少英。”

葛停香道：“难道青龙会根本就没有来找我！”

葛新道：“没有。”

萧少英道：“我们只不过是在利用青龙会这三个字，引开你的注意力，让你紧张。”

无论谁心情紧张时，都难免会有疏忽。

无论多么小的疏忽，都可能造成致命的错误。

萧少英道：“王桐并没有找我，是我找他的，我叫葛新想法子留住了他。”

葛新道："我是你的亲信，他也像你一样，做梦都没有怀疑到我。"

萧少英道："天香堂里，我真正顾忌的，只有他。"

葛停香道："所以你既然已决定对我下手，就一定要先杀了他。"

萧少英道："其实我可以多等几天的，可是……"

葛停香道："可是你没有等。"

萧少英道："因为我已不能再等下去。"

葛停香道："为什么？"

萧少英叹了口气，道："因为我的心肠并不太硬，因为你对我实在不错，我只怕我自己会改变了主意。"

直到现在葛停香才明白，为什么萧少英看着他的时候，眼睛里总会露出那种奇怪的表情。

那的确是恐惧，对自己信心的恐惧。

葛停香道："你是不是在怕你自己会不忍对我下手？"

萧少英长叹道："我的确怕，怕得要命，我付出的代价已太多。"

葛停香道："你付出什么？"

萧少英道："我至少已付出了一只手。"

葛停香道："这只手也是你自己砍断的？"

萧少英点点头，道："我绝不能让你怀疑我，我也知道王桐在你心里的分量，我若忽然杀了他，你免不了要起疑心的。"

葛停香道："但是无论疑心多重的人，也不会想到你会自己砍断自己的手。"

萧少英道："你是个非凡的对手，我要对付你，就得用非凡的手段，也得付出非凡的代价。"

他慢慢地接着道："不管怎样，用一只手去换王桐的一条命，总是值得的。"

葛新道：“他不但是你最得力的助手，也是你忠实的朋友。”

葛停香黯然道：“但我却眼看着他死在你手里。”

葛新冷冷道：“我绝不能让他有开口的机会。”

萧少英淡淡道：“其实他就算有开口的机会，你也未必会相信他的话。”

葛停香道：“我……”

萧少英打断了他的话，道：“郭玉娘就不是没有开口的机会，她说的话，你岂非就一个字都不相信？”

葛停香的脸又因痛苦而扭曲。

他这一生中，做事从来没有后悔过，可是现在他心里的悔恨，却像是条毒蛇，咬住了他的心。

萧少英道：“现在你当然也明白，她写的那首诗，笔迹为什么会和我那封信一样了。”

葛停香道：“因为那也是葛新伪造的。”

萧少英点点头道：“我叫葛成将那首诗去送给你，我知道他一定会先交给守在门口的葛新。”

葛停香道：“所以你就先叫他写了一张，带在身上。”

萧少英道：“他还没有进门，已将郭玉娘写的那张掉了包。”

这计划不但毒辣，而且周密。

葛停香道：“她跟你并没有仇，你为什么一定要她死？”

萧少英道：“我不但要她死，我还要她死在你手里。”

葛停香道：“为什么？”

萧少英眼睛里忽然充满了仇恨，一字字道：“因为盛如兰也是死在你手里的。”

葛停香道：“盛如兰？盛天霸的女儿？”

萧少英道：“不错。”

葛停香道："你岂非就是因为她，才被逐出双环门的？"

萧少英道："我已说过，那只不过是种手段，为了对付你的手段，其实……"

葛停香道："其实她却是你的情人。"

萧少英道："不但是我的情人，也是我的妻子，若不是你，我们本来可以快快乐乐地过一辈子，我们甚至已计划好，要生三个儿子，三个女儿。"

他的脸也已因痛苦而扭曲，连眼睛都红了："但是你却杀了她，所以我也要你亲手杀死你自己最心爱的女人。"

仇恨！

这就是仇恨。

这本就是种除了报复外，绝没有任何方法能淡忘的感情，有时甚至比爱更强烈。

萧少英道："现在你已亲眼看着你最忠实的朋友死在刀下，又亲手杀了你最心爱的女人，你活着还有什么意思？"

葛停香道："你要我死？"

萧少英冷冷道："我并不一定要你死，因为我知道你就算活着，也已等于是个死人。"

葛停香紧握双拳，盯着他，忽然问道："你呢？现在你活着是不是很有意思？"

这句话也像是条鞭子，重重地抽在萧少英身上。

——报复是不是真的能使人忘记所有的痛苦和仇恨？

——已经被毁灭了的一切，是不是能因报复而重生？

萧少英不能回答。

没有人能回答。

世上有了人类时，就有了爱。

有了爱，就有了仇恨。

这问题远古时就存在，而且还要永远存在下去，直到人类被毁灭为止。

——盛天霸从十六岁出道，闯荡江湖四十年，身经数百战，手创双环门，也算是威风了一世，现在留下来的，却只不过是这双银环而已。

——也许他留下的还不止这一点。

——还有什么？

——仇恨！

葛停香忽然想起了郭玉娘对他说过的这些话，现在郭玉娘已死了，仇恨却还存在。

现在他终于明白仇恨是件多么可怕的事。

葛停香长叹道："你本来可以好好地活下去的，因为我可以让你比大多数人都活得好些，我甚至已准备将天香堂交给你，但你却宁愿砍断自己的一只手，宁愿终生残废。"

萧少英道："你现在是不是已明白，我为什么要这么样做了？"

葛停香点点头，道："我明白，你是为了仇恨。"

萧少英道："不错，仇恨！"

葛停香道："所以我纵然明白了，击败我的却不是你，更不是双环门。"

萧少英道："我明白的。"

葛停香道："你最好也永远不要忘记。"

萧少英道："我绝不会忘记。"

葛停香忽然笑了笑，道："只可惜你还是忘了一件事。"

萧少英道："哦！"

葛停香道："你忘了一个人。"

萧少英道："谁？"

葛停香道："那个真正出卖了双环门的人。"

萧少英道："你错了，我更不会忘了他的！"

葛停香道："你已知道他是谁？"

萧少英道："李千山。"

葛停香又显得很吃惊道："你怎么会知道一定是他？"

萧少英道："因为我找不到他的尸身。"

葛停香道："你已去找过？"

萧少英道："我在那乱石山冈上，整整找了十三天。"

葛停香长长吐出口气。

他实在想不到萧少英会做这种事，世上本没人会做这种事。

唯一能令人做这种事的，只有仇恨。

"你也已知道他在哪里？"

萧少英点了点头，说道："你不该对孙宾那么关心的，你所以关心他，只因为他不是孙宾，而是李千山。"

葛停香道："就凭这一点，你就已看出来？"

萧少英道："还有一点。"

葛停香道："哪一点？"

萧少英道："你说孙宾是伤在李千山掌下的，所以受了极重的内伤，但我却知道，李千山的内力并不深，掌力并不重。"

他冷笑着又道："因为他一向是个聪明人，聪明人总是不肯吃苦，总是要走近路，要练好内功和掌力，却没有近路可走。"

"而且那屋子里的光线实在太暗，'孙宾'又总是躲在被窝里，不敢见人。"

葛停香道："所以你早就看出他了。"

萧少英道："虽然并不太早，也不太迟。"

葛停香道："你为什么没有对他下手？"

萧少英道："我并不急。"

葛停香道："为什么？"

萧少英道："因为你已是个老人，又没有儿子，等你百年之后，这一片江山就是我的，所以只要你一死，他也没法子再活下去。"

葛停香苦笑道："看来我说的话，你果然每句都没忘记。"

萧少英淡淡道："因为我也知道，仇人说的话，往往比朋友的更有价值。"

葛停香看着他，眼睛里完全空洞洞的，又像是在眺望着远方。

远方却只有一片黑暗。

"盛天霸临死前也说了一句话，我也没有忘记。"葛停香忽然道。

"他说了什么？"

"我问他，还想不想再活下去？他的回答是——一个人到了该死的时候，若还想活下去，这个人不但愚蠢，而且很可怜很可笑。"

"你不想做一个可笑的人吗？"

"我不想，"葛停香道，"我绝不想。"

他忽然走过去，从桌下拿出了一双闪闪发光的银环。

多情环。

环上有十三道刻痕。

"杀一个人，就在环上刻一道刀痕。"

葛停香又在上面加了一道。

萧少英忍不住道："你也想用这双银环杀人？"

葛停香道："不错。"

萧少英道："你要杀谁？"

葛停香道："我。"

银环还在闪着光，他慢慢地接着道："这双多情环在我的眼中虽然不值一文，可是它留下来的仇恨却太可怕，这双多情环虽然永远无法击败我，可是它留下来的仇恨，却足以毁灭我这个人。"

他说的声音很低，但是他手里的银环却已高高举起了。

忽然间，银光一闪，重重击下。

鲜血雨点般溅了出来。

葛停香的人已倒了下去，倒在血泊中，忽然又挣扎着道："还有一件事，你也不能忘记。"

萧少英在听着。

他并不想听，但却不能不听，因为他知道一个人在临死时所说出来的话，一定每个字都很有价值。

葛停香并没有让他失望："杀死我的并不是这双多情环，而是仇恨！"

你若也听过这故事，就该明白这故事给我们的教训！

仇恨的本身，就是种武器，而且是最可怕的一种。

04

你若是已经在听这故事，就最好再继续听下去，因为现在还不是这故事的结局。

第十章

透骨针的秘密

01

夜深，更深。

每一个院子里都静悄悄的，看不见人，也听不见人声。

人呢?

“大厨房里每顿都要开三次饭，每次都要开十来桌。”葛新脸上带着得意的微笑，“今天晚上，我每顿都加了菜。”

“什么菜？”

“菜是普通的红烧肉，作料却是特别为他们从辰州买回来的。”

“什么作料？”

“瞌睡药。”

萧少英笑了：“难怪他们都睡得这么熟。”

他虽然在笑，笑容看来却很空虚，报复并没有为他带来愉快和满足，现在他反而觉得整个人都空空洞洞的，仿佛失落了什么。

第八重院子里，夜色更浓，小窗户中却有灯光露出。

一灯如豆。

床上的病人已起来了，正坐在灯下，等着。

灯光照在他脸上，他的脸枯瘦蜡黄，的确好像是久病未愈。

可是他一双眼睛里却在发着光，比灯光更亮。

门是开着的。

他看着萧少英和葛新走进来，忽然笑了笑，道："你们果然来了。"

萧少英道："你知道我们会来？"

病人点点头。

萧少英冷冷道："你为什么还不走？是不是知道已无路可走了？"

病人又笑了。

他笑的时候，脸上还是完全没有表情，笑声就像是从远方传来的。

萧少英盯着他，冷冷道："你脸上这张人皮面具做得并不好。"

病人道："所以我总是不愿让人看见。"

萧少英道："你想不到我会看出来？"

病人微笑道："但我却知道你一定会猜出来的，我一直认为你是个绝顶聪明的人。"

他忽然转过身，低下头，等他再转回来面对着萧少英时，一张枯瘦蜡黄的脸，已变得苍白而清秀，他少年时本是个风采翩翩的美男子。李千山，果然是李千山。

萧少英忽然叹了口气，道："我们已有两年不见了，想不到竟会在这种情况下再见。"

李千山道："我也想不到。"

桌上居然有酒，烈酒，他倒了一杯，自斟自饮。

李千山道："你若不怕酒里有毒，我也可以替你倒一杯。"

萧少英道："我怕。"

葛新忽然道："我不怕。"他居然真的倒了杯酒，一饮而尽。

萧少英看着他，忽然问道："你记不记得我们是怎么认识的？"

葛新道："昔年我本来也想投入双环门，我被仇家追得很紧。"

萧少英道："可是有个人坚持不答应，因为他已看出你是为了避祸而来的，他不愿惹麻烦。”

葛新道：“所以我只好走了。”

萧少英道：“可是我却很同情你，所以你走了之后，我还追出很远，在暗中助你杀了三个从中原追来的仇人。”

葛新道：“所以我们就交了朋友。”

萧少英道：“你还记不记得，那个坚持不让你入双环门的人是谁？”

葛新道：“李千山，现在你是不是想要我替你杀了他？”

萧少英叹了口气，道：“他毕竟总算还是我的同门兄弟。”

葛新道：“所以你自己不愿出手。”萧少英并没有否认。

萧少英道：“现在你已准备杀人？”

葛新点点头，道：“只不过我要杀的人并不是他。”

萧少英道：“不是他是谁？”

葛新道：“是你。”

萧少英怔住，他脸上的表情，甚至比刚才葛停香还惊讶。

直到现在，他才了解葛停香当时的心情，但他却还是不明白葛新为什么要杀他。

李千山又笑了，大笑道：“我知道你一定想不通这是怎么回事的。”

萧少英吃惊地看着他，又看了看葛新，道：“你们……”

葛新冷冷道：“我们并不是好朋友，只不过他若要我杀人时，我就杀。”

萧少英道：“为什么？”

葛新道：“因为一条龙。”

“青龙……”

萧少英终于明白：“难道你们都是青龙会的人？”

李千山微笑着，朗声而吟：“本属青龙会，来作卧底奸，九月初九日，翱翔上九天。”

葛新道：“他坚持不让我入双环门，只为他要我加入青龙会。”

萧少英道：“你早已入了青龙会？”

李千山点点头，道：“所以葛停香要来勾引我，我当然不会不答应。”

萧少英道：“因为你正好乘机利用他，来消灭双环门。”

李千山道：“不错。”

萧少英道：“然后你再利用我，来消灭天香堂。”

葛新道：“所以你要我写那三封信时，也正合我的心意。”

萧少英道：“那些蒙面的刺客，也是你们找去的。”

李千山道：“所以天香堂的四位堂主都死了，双环门的七大弟子也死了三个。”

葛新道：“我们特地留下杨麟和王锐，为的就是要引你上钩。”

萧少英道：“郭玉娘当然也是你们的人，所以她才会时常到这里来。”

葛新道：“葛成也是我们的人，所以他才替郭玉娘说谎的。”

萧少英道：“但你们却让我害死了郭玉娘。”

李千山淡然道：“现在我们的任务已完成，双环门和天香堂，都已被我们连根铲尽，她的死活，我们已不放在心上。”萧少英只觉得手足冰冷，全身都已冰冷。

萧少英慢慢地站起来，突然间，右手扬起，“叮”的一响，七点寒光暴射而出。

“七星透骨针。”

葛新身子跃起，却已迟了一步，七点寒星全都钉入他的胸膛，他凌空翻身，撞到墙上就倒下。

李千山冷冷地看着，脸上居然全无表情，淡淡道：“想不到你居然还有一筒七星透骨针。”

萧少英冷笑道："莫忘七星透骨针留在世上的还有两对。"

李千山道："你将一对给葛新，故意要他在背后暗算你。"

萧少英道："那只不过是一出戏，特地演给葛停香看的。"

李千山道："然后你就要葛新趁机将针筒塞入王桐怀里。"

萧少英道："我也学会了栽赃。"

李千山道："现在你又用它杀了葛新。"

萧少英道："他也不知道我还有一对，无论做什么事，我总会为自己留一着的。"

李千山冷笑道："只可惜这已是你最后一着。"

他忽然飞起一脚，踢翻了桌子，出手如闪电，反切萧少英的左胁。

萧少英已只剩下一只手，胸膛上还在流着血。

他已无法招架，不能闪避，可是他还有一着，真正的最后一着。

李千山竟忘记了，他的断腕上，还是可以装一筒七星透骨针的。

发那种暗器，用不着腕力和手力。

他们同时倒了下去，桌子翻倒，灯也翻倒，倒在烈酒上，烈火忽然间就已将他们的人吞没。

他们的恩怨、仇恨、爱情和秘密，就这么样全都埋葬在火焰里，等到火焰熄灭，天已亮了……

仇恨本来就是人类最原始的情感。

很可能就是其中力量最大的一种，有时甚至可以毁灭一切。

所以我说的第四种武器，并不是多情环，而是仇恨。

《七种武器2：碧玉刀·多情环》完

相关情节请看《七种武器3：离别钩·霸王枪》

古龙经典

第一辑

古龙经典 *01*　《绝代双骄》（一）

古龙经典 *02*　《绝代双骄》（二）

古龙经典 *03*　《绝代双骄》（三）

古龙经典 *04*　《绝代双骄》（四）

古龙经典 *05*　《七种武器：长生剑·孔雀翎》

古龙经典 *06*　《七种武器2：碧玉刀·多情环》

古龙经典 *07*　《七种武器3：离别钩·霸王枪》

古龙经典 *08*　《七种武器4：愤怒的小马·七杀手》

古龙经典 *09*　《欢乐英雄》（上）

古龙经典 *10*　《欢乐英雄》（下）

古龙经典 *11*　《三少爷的剑》

古龙经典 *12*　《英雄无泪》

古龙经典 *13*　《大地飞鹰》（上）

古龙经典 *14*　《大地飞鹰》（下）

古龙经典 *15*　《彩环曲》

古龙经典 *16*　《剑客行》（上）

古龙经典 *17*　《剑客行》（下）

第二辑

古龙经典 *18* 《小李飞刀：多情剑客无情剑》（上）

古龙经典 *19* 《小李飞刀：多情剑客无情剑》（中）

古龙经典 *20* 《小李飞刀：多情剑客无情剑》（下）

古龙经典 *21* 《小李飞刀2：边城浪子》（上）

古龙经典 *22* 《小李飞刀2：边城浪子》（下）

古龙经典 *23* 《小李飞刀3：九月鹰飞》（上）

古龙经典 *24* 《小李飞刀3：九月鹰飞》（下）

古龙经典 *25* 《小李飞刀4：天涯·明月·刀》（上）

古龙经典 *26* 《小李飞刀4：天涯·明月·刀》（下）

古龙经典 *27* 《流星·蝴蝶·剑》（上）

古龙经典 *28* 《流星·蝴蝶·剑》（下）

古龙经典 *29* 《圆月弯刀》（上）

古龙经典 *30* 《圆月弯刀》（下）

古龙经典 *31* 《七星龙王》

古龙经典 *32* 《绝不低头》

古龙经典 *33* 《苍穹神剑》

古龙经典 *34* 《月异星邪》

古龙经典 *35* 《飘香剑雨》（上）

古龙经典 *36* 《飘香剑雨》（下）

第三辑

古龙经典 *37* 《陆小凤传奇：金鹏王朝》

古龙经典 *38* 《陆小凤传奇2：绣花大盗》

古龙经典 *39* 《陆小凤传奇3：决战前后》

古龙经典 *40* 《陆小凤传奇4：银钩赌坊》

古龙经典 *41* 《陆小凤传奇5：幽灵山庄》

古龙经典 *42* 《陆小凤传奇6：凤舞九天》

古龙经典 *43* 《陆小凤传奇7：剑神一笑》

古龙经典 *44* 《白玉老虎》（上）

古龙经典 *45* 《白玉老虎》（下）

古龙经典 *46* 《名剑风流》（上）

古龙经典 *47* 《名剑风流》（中）

古龙经典 *48* 《名剑风流》（下）

古龙经典 *49* 《碧血洗银枪》

古龙经典 *50* 《猎鹰·赌局》

古龙经典 *51* 《血鹦鹉》（上）

古龙经典 *52* 《血鹦鹉》（下）

古龙经典 *53* 《游侠录》

古龙经典 *54* 《失魂引》

第四辑

古龙经典 *55* 《楚留香新传：借尸还魂》

古龙经典 *56* 《楚留香新传2：蝙蝠传奇》

古龙经典 *57* 《楚留香新传3：桃花传奇》

古龙经典 *58* 《楚留香新传4：新月传奇·午夜兰花》

古龙经典 *59* 《萧十一郎》

古龙经典 *60* 《火并萧十一郎》

古龙经典 *61* 《武林外史》（上）

古龙经典 *62* 《武林外史》（中）

古龙经典 *63* 《武林外史》（下）

古龙经典 *64* 《大人物》

古龙经典 *65* 《风铃中的刀声》

古龙经典 *66* 《护花铃》（上）

古龙经典 *67* 《护花铃》（下）

古龙经典 *68* 《剑毒梅香》（上）

古龙经典 *69* 《剑毒梅香》（中）

古龙经典 *70* 《剑毒梅香》（下）

图书在版编目（CIP）数据

七种武器. 2，碧玉刀 · 多情环 / 古龙著. -- 上海 :
文汇出版社，2017.9
（古龙文集）
ISBN 978-7-5496-2299-3

Ⅰ. ①七… Ⅱ. ①古… Ⅲ. ①侠义小说一中国一当代
Ⅳ. ①I247.5

中国版本图书馆CIP数据核字（2017）第215229号

著作权合同登记号：09-2017-710

七种武器2：碧玉刀 · 多情环

作　者 / 古　龙

责任编辑 / 甘　棠
特邀编辑 / 周奥扬　闵　唯
封面装帧 / 李子琪

出版发行 / **文匯**出版社
上海市威海路 755 号
（邮政编码 200041）
经　销 / 全国新华书店
印刷装订 / 北京中科印刷有限公司
版　次 / 2017 年 9 月第 1 版
印　次 / 2017 年 9 月第 1 次印刷
开　本 / 890mm × 1270mm　1/32
字　数 / 271 千字
印　张 / 11

ISBN 978-7-5496-2299-3
定　价 / 58.00元